新潮文庫

白い夏の墓標

帚木蓬生著

目次

白い夏の墓標

亡きアンに

第一章　吸着（アタッチメント）

ウィルスは浮遊液中のブラウン運動の結果、ランダムな衝突によって宿主細胞に吸着する。接触は必ずしも吸着には至らないが、ウィルスの表面構造物と細胞膜間に静電気結合が確立すれば、安定した吸着が生じる。吸着の第一段階は環境の温度変化には左右されず、媒体のイオン強度に密接に依存している。つまり、イオン環境が、ウィルスと細胞の荷電に甚大(じんだい)な影響力をもつ。

(A. J. Rhodes et al. : Textbook of virology)

1

朝八時だというのに、夏の日射(ひざ)しがアスファルトの上に鋭利な切り口をちらつかせていた。清掃員によって洗い流されたばかりの、ゆるい坂が白く光っている。石畳すれすれに飛び過ぎた燕(つばめ)が、青一色の空に黒い線を描いて跳ね上がり、中空で見えなくなった。

路地を渡るとき、パンを焼く匂(にお)いが鼻をついた。ガランとしたカフェテラスのカウンターに、出勤前らしい二、三人の男がコーヒーを飲んでいる。歩道にせり出したテーブルに、揃(そろ)いの縞(しま)シャツを着たアメリカ人らしいカップルが坐(すわ)り、地図に見入っていた。

ヴォジラール通りの片側は、工事中だった。小型のショベルカーが、アームを折り曲げたまま放置され、その十メートル先で黒人の労務者が三人、アスファルトをカッターで切断していた。臨時の信号機がある訳でもなく、車は道路の狭まったところでスピードをおとして勝手に行き交っている。ヴァカンスで交通量は少なく、クラクシヨンを聞くことはなかった。

佐伯は、十年前にも同じような光景に出くわしたことを思いだした。レンヌ通りのバス停で待っていたとき、目の前で、アルジェリアからの移民らしい男が二人、つるはしでアスファルトを掘りおこしていた。肩から腕にかけての逞しい筋肉が汗で光っていた。バスは一向に来る気配はなく、佐伯は時折通りの先に視線をやりながら、男たちの作業に見とれていた。二十分程して、年とった方の男が佐伯に、聞きとりにくいフランス語で、バスはそこに止まらない、工事でバス停が移動した、と教えてくれた。そのときがロンドン留学中に訪れたはじめてのパリだった。二年間のロンドン滞在期間中ドーヴァーを越えて、二度ほどパリに足を伸ばした。いずれも一週間足らずの物見遊山だったが、他の都市にはない強烈な印象を受けた。街のすみずみにまで人々の確かな生活が感じられる。いわばパリは陰の部分まで輝いていた。それも金銀で装飾された金ピカの光ではなく、手垢の輝きが街の底にあった。道路人夫も、場末の店の売子も、自分の生を最大限に燃焼させている。生きるためには功成り名を遂げる必要はない、名なき平凡であることで生を輝かせる自由さがある。

ニューヨークでもロンドンでも、陽があれば必ず陰があった。歓楽している人間のすぐ横では、生からはじきだされた人間が暗い顔をしていた。そこは確かに、生き馬の目を抜く、食うか食われるかの世界だろうが、半分の数の脳細胞で生きていける安手の闘技場のようにも思えるのだ。パリは違っていた。それぞれの人間が、四十億の脳細胞のありったけを駆使して精いっぱい生きている。その感慨は今も変らない、と思う。

佐伯の今回のパリ訪問は、第六回肝炎ウィルス国際会議に出席するのが目的だった。今年のはじめ、会議での講演を依頼されたとき、躊躇なく承諾した。十年前の感激と戸惑いを改めて確かめてみたかった。

事務局ではホテルも準備してくれるということだったが、宿舎まで他の講演者たちと一緒というのは気が進まなかった。日頃、論文などでなじみになっている各国の学者たちとじかに会えるのは大きな魅力だったが、それはシンポジウムとパーティの機会だけで十分だろう。十年前と同じホテルに泊りたいという理屈ぬきの欲求の方をどうしても抑えきれなかった。八月十九日に羽田を発ち、その日の夕方ド・ゴール空港に着いて、すぐさま、予約していたモンパルナスのオテル・オラトワールに向った。レンヌ通りに面したその二ツ星のホテルはひと昔前と少しも変化していなかった。額の禿げあがったフロントの男にも見覚えがあった。予約台帳を繰っている彼に、十年前にも泊ったことを話すと、「はい、お手紙で承知しております。当時お泊りになった四階の四〇五号をあけておりますが――」という答えがかえってきたものだ。

翌二十日の午前中は、本屋のフナックでしこたま本を買い込み、三箱に梱包して日本に郵送した。午後は、歩いてルクサンブール公園へ行き、遊園地で子供達が喚声をあげて遊ぶのを二時間近く、あかず眺めた。佐伯は独身だが、子供は誰かれの区別なく好きだった。滑り台やブランコで戯れる子供達のなかには、明らかに日本人と思われる子も何人かいたが、肌の違いなど意に介しているふうではなかった。四時すぎると、近くの商店の主人とおぼしい初老の男たちが七、八人木立の間の空地に集まって、ペタンクをはじめた。植込みの奥にある備えつけの木箱から、金属の球と布をとり出し、なにがしかのお金を賭け、実に悠長なテンポでゲームを繰り広げる。ワインのはいった赤い顔をしながらも、決して大きな声を出さず、静かな物腰、くわえ煙草でぼそぼそとしゃべるフランス語が、ベンチに腰かけている佐伯の耳に快くきこえた。彼らが散会したあと、佐伯も公園を出て、ヴァヴァン通りの食堂で夕食をすませ、ホテルに戻った。シャワーをあびて一息つき、翌日の講演に使うスライドの点検と仏文の原稿の朗読をしてから床についた。

ファルギエールの三叉路にあるビストロも、涼をとる客で賑わっている。左側の高い塀の内側はネッケル病院のはずだが、一向に門らしきものに行きあたらない。仕方なく塀にそって五百メートル程歩くうち、モンパルナス大通りに出てしまった。ホテルの出がけに地図を見て、地下鉄のパストゥール駅が最も近いとみたのだが、門の位置までは考えてみなかった。これなら大通りをまっすぐ歩いて来た方が速かったかも知れないと苦笑し、ともかく早めにホテルを出て良かったと佐伯は思う。大通りに沿う塀にも、相変らず入口らしきものはなかった。結局、ファルグ広場から左に曲ったところで、ようやく、ネッケル病院の正門が見え、ほっとしたが、すでに、病院の周囲を半周したことになっていた。

　会場を示す真新しい標識が、門をはいったところにさりげなく立ててあった。大仰な垂れ幕や、飾りつけは見当らない。緑の多い広大な敷地に、煉瓦や石造りの建築物が点々としている。そのひとつひとつが、眼科や耳鼻咽喉科などの各診療科になっているらしかった。標識に導かれて、敷地内の巨木の間を歩いた。やがて、博物館に似た古めかしい建物の前に出た。灰色というより黒に近い石で柱と壁がつくられ、太い桟のはいった窓が二段に並んでいる。正面アーチの石段の脇にあるケンタウロスの砂岩像も、風雪にさらされて彫りが浅くなってしまっている。アーチの上に掲げられた横断幕によって、そこが目ざす会場であると知ったとき、佐伯は軽い失望を禁じ得なかった。世界各国からウィルス学をはじめ、免疫学、血液学、衛生学、人類学などの学者を招き入れる容器としては、いかにも古色蒼然（そうぜん）とした建物であった。開会にはまだ時間があり、五、六人の学者風の男たちがベンチに腰かけたり、付近をぶらついたりしていた。佐伯は下検分のつもりで石段をのぼって建物の中にはいった。中央の重い扉を押して、内側に足を踏み入れた瞬間、息をのんだ。ばかでかい階段講堂であった。座席が演壇を中心にして扇形の同心円を描きながら、天井までせりあがっている。天井は聖堂のように高く、建物全体が一個の祭壇として、宗教的な厳粛さと歴史の重みを分泌（ぶんぴつ）している。佐伯は、最新の科学的な知見を披瀝（ひれき）する場としてここを選んだフランス側の演出に、脱帽する思いがした。

九時半開会の予定だった大会は十時近くになってはじまった。

冒頭に、ヘス会長の達者な仏語（ふつご）による基調演説があり、ついで、アメリカ小児学会の大御所クルークマン博士が飄々（ひょうひょう）とした姿で演壇に立った。孤児院での人体実験で、ウィルス肝炎にAとBの二つの型があることをつきとめた学者である。その当時の有名なエピソードをユーモアたっぷりに話し、聴衆からは何度も爆笑がおこった。三番手は、オーストラリア原住民の血清を使って、B型肝炎ウィルスを初めて検出したブランバーグ教授が、軍人あがりらしい精悍（せいかん）そのものの熱弁をふるった。

ここまではいわば来賓祝辞であった。会議の本題、B型肝炎ウィルスの〈亜型（サブタイプ）〉に関する研究発表は、午後にはいって展開されることになる。

ウィルス肝炎は現在でも、マラリアにつぐ公衆衛生上の大きなテーマである。病理像はウィルスによって惹起される肝臓の炎症であり、発熱、嘔気、嘔吐、黄疸を症状とする。

このウィルス感染を二型に分別したのが前述のクルークマンである。A型は伝染性肝炎とも呼ばれ、潜伏期間は約一カ月以内で、経口感染を主とする。潜伏期間が一カ月以上半年にも及ぶB型肝炎の方は、血液を介して感染することから血清肝炎とも称される。

発症者の数パーセントはいかなる治療も効がなく、劇症肝炎に進行して死の転帰をとる。

劇症肝炎には至らなくても、急性肝炎から慢性肝炎、肝硬変へと進展し、ついには肝癌を併発することで、恐れられているのはB型肝炎の方である。とくに、患者の血液に直かに触れることの多い医療従事者は、この病気に神経過敏になっていた。日本でも、B型肝炎ウィルスを持った患者の手術中、誤って切った指の先からウィルスが侵入し、命をおとしたT大助教授の例があった。

従って、ブランバーグがB型肝炎ウィルスを同定した一九六五年は記念すべき年だといえる。それ以後、抗原抗体反応によって、あらかじめ感染患者を察知することが可能になり、輸血や外科手術の際に特別な配慮がなされるようになった。

一九七〇年代にはいると、B型肝炎ウィルスの細部に至る全体像が明らかにされはじめる。七二年には、エール大学のブービエ博士によって、B型肝炎ウィルスが、共通抗原基a以外にも、dとyの抗原基を持つことが発見された。次いでその数カ月後に、ウォルター・リード研究所のバンクロフト博士が、更にwとrの抗原基を報告した。

一見些細（ささい）にみえるこの一連の新発見のもつ意義は大きい。なぜなら、それまで大まかにB型肝炎ウィルスとしてとらえていたものを更に細かく、「adw」「adr」「ayw」「ayr」の四つの〈亜型（サブタイプ）〉で識別することが可能になったのだ。

佐伯の率いる北東大の研究グループの仕事は、まさしくそこに端緒を発していた。

B型肝炎ウィルスの感染様式は二つに大別できる。ひとつは、肝炎にかかった妊婦の血清中に住むウィルスが、胎盤を通過して胎児に移行する垂直感染。もうひとつは、輸血、外科手術、人工透析を契機として人から人へうつる水平感染。後者の興味深いルートとしては、性交も槍玉（やりだま）にあがっている。怒張した双方の粘膜が破損すれば、ウィルス粒子は容易に一方から他方へ侵入していくのである。つまり、B型肝炎ウィルスは、血と血がまじりあう「親密」な関係を経てはじめて感染する点で、数十種ある病原ウィルスのなかでもユニークな位置を占めていた。

一九七二年の暮、佐伯が〈サイエンス〉誌でバンクロフト博士の論文を読んだとき、まっさきにこの特異な感染様式のことが頭に浮かんだのだった。イケルかも知れない、という予感がした。人と人が密接に交わるところにしかウィルスの受け渡しがないとすれば、それはちょうど〈文化〉の伝播のようなものだ。〈文化〉に地域的特徴がみられるように、ウィルスの亜型分布にも地域による差があるのではないか、というのが佐伯の直観であった。

直ちにバンクロフトの研究室から、四種の亜型の標準試薬と抗血清を取り寄せた。日本各地の無症候性B型肝炎抗原保持者の亜型を決定する作業が、このときはじまったのである。

北東大学のウィルス学教室は、免疫の研究においては日本のトップクラスに位置していた。佐伯の先々代の教授が、戦後いち早く結核菌の免疫反応に手を染め、その伝統が脈々と続いている。

佐伯は二十人近くいる教室員のうち五人に各自の研究テーマを一時中断させて、日本国内の亜型決定という焦眉の課題に取り組んだ。一刻を争う仕事であり、他のグループに先を越されたらすべて水泡に帰す質の研究だった。抗原抗体反応の技術的な処理にさんざん手こずったすえ、結果は約一年後に出た。

佐伯がはじめに抱いていた仮説は適中していた。日本では、y抗原基が極めて稀(まれ)なために、B型肝炎ウィルスの亜型は「adr」型と「adw」型の二つしか存在せず、しかもその分布が地方によって歴然と異なっていたのである。

簡略を期すため、ここでは「adr」型をr型、「adw」型をw型とする。r型ウィルスは九州と本州西端に多く、北上するにつれてw型が増加してくる。具体的な数字でいえば、r型の占める比率は、福岡92%、広島89%、岡山85%、神奈川77%、栃木61%、秋田46%となっていた。南から北へ向う見事な勾配(こうばい)が明るみに出た。

ただ二箇所、北海道と沖縄に例外が出現していた。数字の勾配からいけば30%台になってしかるべき北海道は東京とほぼ同じ68%、逆に90%近くあるべき沖縄は14%だった。この一見不合理にみえるデータが後に大きな意味をもつようになるのだが、当時佐伯たちにはその理由が摑(つか)めなかった。

この研究結果は、速報として、英国の科学専門誌〈ランセット〉に掲載され、反響を呼んだ。純医学的な問題だと思われていたウィルスの亜型の分布が、民族の交流と移動を推測する手がかりとなることに、研究者たちは驚きの目を見張った。ウィルス学が、全く意外な方向から、民族学・歴史学の領域に光を投げかけはじめたのである。

翌年、佐伯の研究グループに対して、ＷＨＯから研究助成金がおりるのと同時に、アジア各国の血液センターとの公式のつながりができた。教室宛（あ）てに、京城、北京（ペキン）、重慶、台北、香港（ホンコン）、マニラ、サイゴン、シンガポール、ジャカルタなどから、次々と数千人分の貯蔵血が空輸されてきた。習熟した教室員が、サンプルをひとつひとつスクリーニングし、受動赤血球凝集法と放射性免疫分析法（ラジオ・イムノ・アッセイ）を使って亜型を同定していった。

その研究の成果を、第六回パリ会議で講演すべく招聘（しょうへい）を受けたのだった。佐伯の講演は今大会の目玉のひとつになるはずだった。

佐伯は、午後の講演のしんがり近く、演壇にのぼった。拍手に微笑で応じながら、眼前に崩れかからんばかりの聴衆の雛壇（ひなだん）を見上げたとき、持ち時間の三十分が途方もなく長いように思えた。

やがて佐伯の口から、やや癖のあるフランス語が発せられる。短い前置きのあと、館内の照明がメモをやっととれるくらいの明るさにおち、正面のスクリーンにカラースライドが映し出された。

佐伯はスクリーンと暗がりの奥の観客を交互に見ながら、解説を加えはじめる。そのときはすでに、北東大学の臨床講堂で学生を相手にしゃべるときの落着きを取り戻していた。

スクリーンに映るデータの一枚一枚が、教室員たちの汗の結晶であった。わずか五、六秒間しか映らないスライドの一枚にも、一人の若い研究者の一年間が凝縮されていることをかみしめながら、佐伯はしゃべった。

聴衆は静まり返っていた。発表される真新しい知見に釘づけになり、メモをとることさえ忘れていた。

そして、持ち時間が切れようとするころ、一枚の日本地図がクローズアップされた。

地図は、赤から黄色に至る数種類の色彩で塗り分けられていた。九州が赤、北上するにつれて黄色味が増していく。北海道は関東と同じ橙色。沖縄だけが、とり残されたように黄色だった。

――これが、日本に於けるB型肝炎ウィルスの亜型分布であります。赤がr型、黄色がw型を表わしています。ごらんの通り、わが国では北に行くにつれてr型が減少していくのです。一体どうしてこのようなことがおこったのか。次のスライドをみていただきたい。

佐伯の合図で、スクリーンは世界地図にかわった。小さな弓状列島をまん中にして、右端にアメリカ大陸、左にユーラシアがあった。

――これこそ、私達の研究で明らかになった日本周辺における亜型の分布状態であります。中国や韓国ではr型の比率は100％で、九州とほぼ同じ赤い色で塗ることができます。一方、台湾、フィリピン、インドネシアはr型が0、w型が100％でした。この図の黄色の部分です。つまり、日本は中国を中心とするr型地域と、インドネシアを中心とするw型地域の境界面に位置していることが、ウィルスの亜型分布からも、確認されたのであります。


佐伯はそこまで言うと、ハンカチをとりだして額の汗をぬぐった。数百の眼をはめこまれた静かな闇（やみ）が、佐伯の一挙一動を凝視していた。

――ここで、日本列島上の南から北へ向うr型の勾配が、最南端の島沖縄と、最北の島北海道で全く逆転していることに奇異の念を抱かれるのではないかと思います。実は私共も最初は実験ミスだと思っていたのですが、あとになってその理由がわかりました。それはこうであります。私達の先住民族は本来、ミクロネシア系と同じw型の肝炎ウィルスに感染していたと思われます。つまり、原初の日本民族は南方系だったということです。そこへ、r型のウィルスに感染した民族が、中国大陸から日本海を渡って、航路、九州ないし本州西端に上陸したと考えられます。彼らは数世紀にわたって世代を受け継ぎながら、ゆっくりと本州を北上し、ついには本州北端まで到達したのです。中国大陸に近い日本海沿岸の方が、太平洋岸と比べてr型がわずかに高いのも、その移動ルートを微妙に裏付けるものでしょう。ところが、彼らは琉球列島や沖縄まで南下することはなかった。その結果、沖縄だけはw型の原形を保ち続けているという訳です。他方、北海道には十九世紀後半の明治復古のあと、全国各地の人々が続々と移住しました。そのため、平均化され、ちょうど東京周辺の値と同じになったものと考えられます。

佐伯は机の上においた腕時計を見た。予定時間をオーバーしていた。結論を急いだ。

——以上のデータは、わが国の歴史学者が唱えている日本民族の起源を、別の観点から照らしだす結果にもなったのです。敢えて付言することを許していただけるなら、B型肝炎ウィルスの亜型分布を世界的規模で調査することによって、また、より一層細かい抗原基を探求することによって数十万年にわたる民族の交流に対する、新しい知識を加えることも可能だと確信するのです。

佐伯はそう結んだ。明るくなった館内が拍手で沸き返った。佐伯は深く頭をさげて演壇をおりた。

控室にさがっても、奇妙な興奮が全身をほてらせていた。日本での学会では一度もなかったことだった。スーツの下のシャツが汗で肌にべとついた。ヘス会長が手をさし伸べて近寄った。肩を抱くようにして「素晴しかった」を連発しながら次々と未知の学者を紹介してくれる。彼らからも、口々に賞讃の言葉を聞いた。熱い風がほてった顔を蒸すような気がした。

十五分後に、次の講演の予鈴が鳴り、皆がぞろぞろと部屋を出ていったあと、佐伯はソファーに腰をおろして一人居残った。気持のかたすみに張りつめていたものが徐々にしぼんでいくような、落下の感覚があった。

この三年間は時間との闘いだった。何よりもプライオリティがものを言う性質の研究だけに、一日でも無駄にすることはできない。佐伯の場合は、スタートが早かったこと、戦後一貫して免疫学に取組んできた技術上の強みがものをいった。日本という地理的な好条件も幸いしたかもしれない。佐伯は仙台に残してきた若い教室員たちの顔を次々と思い浮かべて、「終ったよ」と口ごもった。

次の講演が始まったらしく、扉のむこうで新しい拍手がおこっていた。佐伯は反対側のドアを開けて、控室を出た。薄暗い、長い廊下が目の前に伸びていた。奥の方からタイプを打つ音がきこえてきた。その音を聴くと、通路が無限に長いように感じられた。角を左にまがったところで、廊下は広々とした庭に出た。建物の裏側になるらしかった。

整然と並ぶ木立の間から煉瓦(れんが)色(いろ)の建築が見えていた。黒靴をはいた背の高い男が、白衣をひるがえして建物の陰に消えた。

陽だまりの芝生の上で、撒水機(さんすいき)がゆっくりと回転している。後向きになったブロンズの胸像に、夏の日射(ひざ)しが容赦なく照りつけている。パリの一隅とは思えない静けさだ。

すべてが順調に進んでいるのではなく、順調に終ったという気持がしていた。どこか拍子抜けした感じだった。結局のところ、十人ちかい人間が足かけ三年つぎこんだものが、わずか三十分のリポートで片づいてしまっていた。やがて、あの亜型の分布図はウィルス学の常識になってしまうだろう。これからは、各国がこの種の研究に乗り出すに違いない。ことによると、本当の勝負は今はじまったばかりなのかもしれなかった。にもかかわらず、佐伯には、これまで通り数馬身の差を保ってリードしていける自信はもうなかった。自分たちは、鬼の居ぬ間のゲリラ戦法で一勝をあげたにすぎない。一年もすれば、重装備をした欧米の研究グループに、追いつかれてしまうだろう。ここで手を引いて、本来の免疫の研究に戻るべきかもしれないという予感が漠然としていた。

佐伯は自分が新たに無防備の状態におかれていることを感じながら、ポーチに立ちつくしていた。撒水機の水がある一定の方向にきたとき、芝の上に美しい虹(にじ)ができた。それは一瞬のできごとだった。あるかなきかの風に吹き散らされるかのように、虹は左の方から消えていく。

不意に自分の名を呼ぶものがあった。振りむいた。老紳士が立っていた。七十歳は越えているだろう。ていねいに後に梳(す)かれた銀髪と、血の色が透けてみえる滑らかな膚(はだ)。好意に満ちた眼が佐伯にほほえみかけていた。

「サエキ教授。ここにおられましたか。ずいぶん探しました」

「………」

「ぜひお会いしたくて控室まで行ったのですが、出ていかれたあとでした。いや、実に立派な講演でした。生物と無生物の中間に位置するウィルスが、我々人間の長い歴史を背負いつづけている事実に感動しました」

「失礼ですが――」

目を輝かして言う老人にたじろぎながら、佐伯は言葉をはさんだ。

「これは。初めてお会いするのにぶしつけなことを」

と老紳士はわれに返ったように言った。「私はラザール・ベルナールと申します。

合衆国の陸軍微生物研究所にいる者です。今はもう現場の研究からは遠ざかっていますが――。ええ、むろんパリに来たのはこの会議のためです。ウィルス学に関する全体的な展望を手にするには恰好の場ですからね」

「なるほど。それでしたら、こんなところで暇つぶしをされてもよろしいのですか」

「ええ、いいんですよ。あなたの講演だけでもう十分だと思いました」

老人は真顔でそう言うと、佐伯を促すようにゆっくりと石段を降りはじめた。そのとき佐伯は老紳士の右足が少し不自由なのに気がついた。それは、老人にしては健康そのものにみえる身体につけられた、自然のいたずらのように思われた。

「本当のところ、あなたの講演を聴いて、私があと三十年若ければと思いましたよ。妙なことです。とっくに引退の覚悟はできていたはずなのですが。――あなたが羨ましい」

老紳士は若者のように顔をあからめながら、きゅっと唇の端をつりあげて微笑した。笑うと弓なりの鷲鼻が更に彎曲する。

「そんなことはないでしょう。私だってもう五十ですが、あと三十年は仕事をするつもりでいます。傲慢でしょうか」

そう言いながら佐伯は自分の言葉の威勢の良さに驚いていた。しかしそれは佐伯の本音でもあったのだ。日本人は早く老けすぎる。五十を越えたばかりの教授が現場から手を引き大家として祭り上げられることを良しとする。そういう例を佐伯はいくらも知っていた。

「おっしゃる通りです。研究に年齢制限などあるはずがないのです。死ぬ間際まで現役であるべきです。ちょうど俳優と同じように」

と老紳士は言った。

木陰はさすがに冷やりとしていた。古びた木製のベンチに、並んで腰をかけた。佐伯は不思議に老人と初対面だという気がしなかった。

芝生のまわりには、青い毛毬に似た小さな花がレースの縁飾りみたいに植えられていた。

「静かですね。パリのまん中にもまだこんな所が残っているとは」

「いいえ。いたるところにありますよ。だからこそパリなんです。パリは変らない――」

老人はきっぱりと言い、目を細め、首をまわして、黒ずんだ建物を愛でるように見上げた。青苔と汚れがしみこんだ石壁は、日本でなら早々に取り壊されているに違いない。佐伯はそこに文化の差、人間の差を感じてしまう。

「ところで――」

ベルナール老人は静かに言葉をついだ。「サエキ教授は北東大学の御出身でしたね」

「ええ」

「それでは、ドクター・クロダを御存知ですか」

強い日射しが、風に流れるように芝生の上を通り過ぎていった。佐伯は老人の眼がじっと自分の横顔にそそがれているのを感じた。

ドクター・クロダ――佐伯は口ごもりながら、頭の中で医学部に居る知人の名を繰ってみた。

「さあ、心当りありませんが」

「そうですか、覚えておられませんか」

老紳士の口から、明らかに落胆した声が漏れた。「ずっと昔のことですからね。かれこれ二十四、五年前でしょう。ドクター・クロダが北東大に居たのは」

「二十四、五年前ですか」

佐伯が意外に思って老人を見返したのと、小さな叫び声をあげたのは同時だった。

「黒田武彦」

「やはり覚えていましたか」

老人の灰色の眼が嬉しそうに光った。

「でも、どうしてあなたが黒田を」

「私の部下であり、若い友人でした」

「あなたの部下」

「ええ」

老紳士は一列に並ぶ木立を見やったまま、大きく頷いた。

「そうでしたか。よく覚えています。いいえ、忘れもしません、黒田のことは」

佐伯は胸のなかによどんでいた古い空気をおしだすようにして言った。

「今度の学会の講演者の経歴を見て、あなたが北東大だと知り、あるいはと思ったのです」

「黒田とは、大学の研究室で机を並べた仲でした。しかし、実に思いがけないことです」

佐伯の胸に急にこみあげてくるものがあった。

「きっと、地下の彼も満足しているでしょう。お互いにゆかりのある二人をこうやって引きあわせたのですから」

ベルナール老人は淡々とした口調で言った。

「惜しいことをしました。生きていれば、今頃は世界的な学者になっていたでしょうが」

「おっしゃる通りです。稀有な才能の持主でした」

と老人は言った。

「黒田とは、合衆国でずっと御一緒だったのですか」

「ええ。同じ研究所で働いておりました」

花壇の中央で、サルビアが真紅の袋状の花冠を誇っていた。鋭角三角形に刈り込まれた杉の木のむこう、蔦の這う塀越しに、高い丸屋根を持つ両翼の伸びた建物が青くかすんで見えている。佐伯は北東大の東研究棟を憶いだしていた。木造二階の長屋同様の一室を黒田と佐伯は研究室がわりにあてがわれていたのだ。今は跡かたもなく、同じ場所にモダンな鉄筋九階建の基礎医学系研究棟がたてられている。

「実は、お話ししたいことがあるのです」

ベルナール老人は決心したように口をひらいた。「私は明朝、ニューヨークへ戻らなければなりません。製薬会社の会長をしていた昔の同僚が急死したのです。せっかく来たパリも今日が最後というわけで、もしよろしければ、今夜食事を御一緒してくださいませんか」

唐突な申し出だった。

「今夜ですね」

「ええ」

老人は祈るような目つきで佐伯をみつめたまま、深くうなずいた。今夜も明日の夜も、ヘス会長主催の会食が予定されている。

「こちらこそ、喜んでお伴(とも)します。ぜひ、黒田の話を聞きたいものです」

佐伯は答えていた。

「ありがとう、教授」

老人は佐伯の手をとったまま絶句した。

「何時頃に致しましょうか」

佐伯は聞いた。

「八時ではどうでしょう」

「結構です」

その時間なら、パーティの冒頭だけ顔を出して、抜け出してくることができる。

ベルナール老人は佐伯の泊っているホテルと、通りを確かめると、手をしっかりと握りしめて、もう一度礼を言った。

「それでは、今晩八時に。私は今のうち、用足しをしておくところがありますから、ここで失礼します」

老人はそう言い残し、ステッキで右足をかばいながら煉瓦色の建物の陰に消えた。

2

日のおちるのが遅かった。八時近くになって、街はようやくくろみはじめている。通りのむこうにあるミュージックホールの大看板が、ホテルの四階から俯瞰（ふかん）できた。臙脂（えんじ）のバックのせいで、腹這（はらば）いになった少女の裸体が青白く浮きあがっている。頬杖（ほおづえ）をついた華奢（きゃしゃ）な腕、片膝（かたひざ）を曲げて宙にはねあげたくるぶし。幼さの残った腰の線。乳白色のからだを、かげり陽が洗いながしている。

切符売場で、金髪を肩まで垂らしたランニングシャツの青年が、窓口に顔をつけてしゃべっている。ショートパンツにスパルタサンダルをはいた連れの女の子が、終始彼の腰に手を回して離れない。男はGパンのポケットからくしゃくしゃになった紙幣をとり出してかぞえはじめた。

劇場から十メートル程離れたところにあるメトロの出口から、人がわき出てくる。新聞スタンドやクレープを焼く店の前で人の流れが渦を巻く。教会の鐘がすぐ近くで、生き生きとした音の鎖をつなげた。ミュージックホールと背中合せになっている礼拝堂から聞えてくるものらしかった。

窓にはいりこむ微風は、温かくも、涼しくもなかった。

ホテルの下の盲管になった路地の奥には駐車場があるらしく、絶えず車が出入りした。けたたましいエンジンの音の跡切れをぬって、甲高い女の声が壁をつたって這いあがってくる。窓から身を乗りだすと、男が女の肩を抱きこむようにして歩いているのが、ビルの谷間に見おろせた。

佐伯は観音開きになった窓を閉めた。一瞬街の音が遠のく。

五官がむき出しになっているような気がした。街から発散される些細な刺激が増幅され、皮膚を逆なでする。異郷の街の陶酔にどっぷりひたっているようでいながら、からだの芯に充たされぬものが残っている。

体腔の中を転々とするつかみどころのない焦燥が、どうやら、ベルナール老人と邂逅したことから来ていることに、佐伯はようやく思いあたる。久しく反芻したこともない二十数年前の記憶が次第に形をとりはじめ、単純に懐しいとばかりは言い切れないある種のにがみが喉元にこみあげてきた。

――ともあれ、研究発表の成功譚に加えて、もうひとつ面白い土産話ができる。戦後の混乱期に、新種のウィルスを発見し、合衆国に招かれ、客死した青年学徒の話は、若い教室員たちの好奇心をそそるに違いない。

佐伯はそう思いこむことで、ひとまず気を鎮めようとするが、夭折した親友に対する感傷のそばからたちのぼってくる、生き永らえた者のもつおごりが、却って自責の念を濃くするのだ。

テーブルの上の電話が鳴った。約束の八時を二分程まわっていた。

「佐伯様、フロントにベルナール博士がお見えです」

「ありがとう。すぐにいくから、待つように申し上げてくれ」

佐伯は上着をはおって部屋を出る。五人乗りのエレベーターは悠長な音をたてて下降した。地下のどこかに、人力でエレベーターを操作する場所があるのではないかとさえ思う。

老人はフロント前のソファーに腰をおろしていた。佐伯を認めると顔をほころばせて立ち上がった。明るい血餅色のスーツが白髪と見事に調和していた。

「今晩は、ベルナール博士。申し訳ありません。本来なら私の方こそ出向くべきでしたのに」

佐伯は老博士の手を握って言った。

「いいえ。無理じいしたのは私ですから。ヘス会長には悪いことをしましたね。あなたと話すのを楽しみにしていたでしょうに」

「パーティには、ちょっと顔は出しておきました。明晩も会えますから、構いませんよ」

と佐伯は答える。

「何と断って中座されたのです」

「仮病ですよ。持病のメニエール氏病が出たと言って」

「それはまた大仰な仮病でした」

「いいえ、十年前までは本当に持病だったのですから」

「ヘス会長、びっくりしたでしょう」

「ええ、いい専門医を紹介すると言うので、恐縮しました」

佐伯がいうと、老博士は笑った。

外はすっかり夕闇（ゆうやみ）につつまれ、街路をライトをつけた車が行き交っている。カフェテラスの内部が黄色く輝いていた。歩道まではみ出したテーブルの客の視線は、一様に通行人に向けられている。歩道が舞台で、カフェは観客席だった。パリジェンヌはこうした視線によって洗練されていく、という命題を信じたくなるような場所だった。

「パリへはよくいらっしゃるのですか」

佐伯は訊いた。

「以前はよく来たものですが、今回はかれこれ三年ぶりです」

と、老博士は答えた。「私はベルギーで生れ、ずっと昔、一九三〇年頃まで、パストゥール研究所に居たことがあるのです。いわば、パリは第二の故郷なのですよ」

「そうですか」

「当時、パストゥール研究所は細菌学のメッカでしたからね。いろんな仲間がいました。この間亡くなったモノ博士もそのひとりです。私より五つ六つ年下でしたが、変った男でした。生物学者のくせに顕微鏡はのぞかないで、数式や記号ばかり書いていました。その挙句がノーベル賞」

老博士は気持よさそうに笑った。

「ところで、パリに住んでいて一番辛いことって何だと思いますか」

「さあ」

佐伯は首をひねった。

「空腹ですよ。腹をすかして表通りを歩いてごらんなさい。テーブルは道にせり出しているし、うまそうな匂いはただよっているし、これ程残酷なことはありませんよ。だから、お金のない時はもっぱら裏通りを選んで歩いたものです」

スタニスラス通りで、教会の横を左に折れた。辻公園の街灯の下で、老婆が石仏のように佇んだまま動かなかった。

「その頃、今のブールデル美術館の近くに下宿して、研究所に通っていたのですが、お金がはいるとモンパルナスに出てきました。子供みたいですけど、私はここのクレープが好きなんです。ベンチで暖かいやつを食べながら新聞を読む気分はなんともいえません」

「あれはなかなかおいしいですね。日本人の口にもあいます」

「そうでしょう」

と、ベルナール博士は目を細めた。「タケヒコが大好きでした。合衆国に居るころ、私がたまにつくって食べさせたのですが、じきに私よりも上手になりましたよ」

「黒田が自分で焼くのですか」

「そうです」

仙台時代、三度の食事さえ欠いていた黒田は、どういう気持でクレープを焼いていたのだろう。金色のクレープをほおばりながら、長い貧困からようやく抜けだした実感を味わっていたのに違いない、と佐伯は思う。

美容室の飾りケースの中で、頭髪の形に散りばめた鏡の破片が、オレンジの光を反射していた。

「若い日のパリは何処(どこ)へ行っても一生ついてまわる、と言ったのはヘミングウェイでしたか。確かにパリにはそういう魅力があります。こうして歩いていると、二十代の自分がむこうからやってくるのではないかと思うのです」

ベルナール老人は古い敷石に響く靴音を味わうようにゆっくり歩いた。

裏通りだった。星のない安ホテルに挟(はさ)まれて、間口のせまいレストランがあった。中は外と同じように薄暗く、左側の壁にそって赤白チェックの布をかけたテーブルが三つ並んでいた。女一人を混じえた四人連れの先客が食事をしていた。右側のカウンターの奥から若い男が顔をあげ、驚いたようにベルナール老人を見た。

店の奥は鉤型(かぎがた)に広くなり、右隅に地下へ降りる階段があった。

カウンターに居た青年はメニューを持って来て、老博士にはにかみがちに挨拶(あいさつ)した。戻りがけに、階段の降り口から地階へ声をかけた。

床の下で低い女の声がしたようだった。やがて、木製の階段を軋(きし)ませ、手摺(てすり)に命綱のように体重をかけて太った女が昇ってきた。ラスパイユ通りに立つバルザックの像から口髭をとっただけのような女丈夫だった。

老博士は立ちあがって彼女を抱いた。

「あんた生きてたの」

「ああ、まだ生きている、不幸にも」

と、老博士は笑った。「ヨヨもますます、意気盛んじゃないか」

「この通り、階段の昇り降りが大仕事さ。一日に二回しかあがらないことに決めているんだよ」

彼女はまだ肩で息をしながら答えた。

「それは悪かった。クリスが言ってくれたら、私が降りたのに」

老博士はカウンターの方を見て言った。「彼も立派なマスターぶりだね」

「秋には結婚さ」

「ほう。それは素晴しい。おめでとう」

老博士はそう言って佐伯の方を向いた。

「マダム・ヨヨです。こちらは日本からの友人、サエキ教授」

「はじめまして」

「これは、これは」

佐伯が握ったヨヨの手はねっとりと柔らかかった。

「良い日にいらっして下さったわ。うずら料理はお好きかしら」

「うずらがはいったのかい。教授、食べてみないという手はありませんよ」

と老博士は言った。

「ぜひ、味わってみたいものです。パリ訪問の記念に」

佐伯が答えると、マダム・ヨヨは満足気にうなずいた。

「サラダは、フォアグラにトリュッフレタス、莢隠元(さやいんげん)でいい」

老博士は上機嫌で言い添える。

マダム・ヨヨが大きなからだを床下に沈めてしまうのを見送ると、老博士はカウンターのクリスの方を見た。白いワイシャツが、均整のとれた筋肉質の肉体をつつみこんでいる。フランス映画にでてきそうな二枚目だった。

「はじめてこの店に来た頃、彼女はまだリセに通っていたのですよ。ルノワールの少女のようにかわいらしかった。父親が死に、亭主にも先立たれたあと、一人息子のクリスがぐれて、だいぶ苦労したけど、もう大丈夫のようです」

ベルナール老人は一家のたちなおりをわがことのように喜んでいた。佐伯は相槌(あいづち)を打ちながら、もしかしたらこの老人も自分と同じように独身なのかも知れない、と思った。どこかに係累（けいるい）のない寂しさみたいなものが漂っている。

「失礼ですが、ベルナール博士にはお子さんはおありですか」

「息子が一人いたのですが、親に先立ってしまいました」

老人はさらりと言った。

「すみません。つまらぬことを聞いて」

佐伯は詫（わ）びた。

「いいえ。孫がひとりいますよ。ニューヨークでトロンボーン奏者をしています」

老博士が言い終えると、待ち受けていたように沈黙がきた。

四隅にある他のテーブルは空いたままだった。カウンター前のテーブルで、さっきからの四人連れが談笑している。老博士は身をよじり、さりげなく室内を一瞥（べつ）したあと、小声で切りだした。

「実は、三年ぶりにフランスに来て、タケヒコの墓を訪れるつもりだったのです」

墓（トンボ）という単語が佐伯の耳に重々しく余韻をのこした。

「黒田の墓というと」

佐伯は腑（ふ）に落ちないまま問い返す。

「パリから汽車で半日のところにあります」

えっと、佐伯はわが耳を疑った。

「黒田は合衆国で死んだのではなかったのですか。雪の日の自動車事故で」

「いいえ。フランスで死にました。もっと正確に言えば、スペインとフランスの国境です。それも事故死ではなく」

老人はしぼりだすように言うと、再び室内に視線をめぐらした。誰かに盗聴されるのを警戒するような仕草だった。

「事故死ではない——。私達は事故死だと知らされていました。ハイウェイのカーヴで、スリップした乗用車がガードレールを越えて墜落したと」

その光景は、窓ガラスさえ破れたままの研究室で、ありあわせの器具を使って実験をしていた佐伯の脳裡に、不意に出現してくるものであった。学長さえ足許に及ばない高給を提示され、合衆国に渡った黒田に対して、羨望と嫉妬を感じなかったといえば嘘になる。渡米後二年くらいして、彼が自動車事故で死んだという通知が大学に届いたとき、佐伯は甘い痛みの混じった気持で、その事故死の場面を思い描いた。助手席に金髪の恋人を乗せた車が、結氷したカーヴを曲りきれず、ゆるやかな弧を描いて白い谷底へ墜ちていく——。

「事故死でないとすれば」

と、佐伯は繰り返した。

「自殺です」

老博士の顔が歪(ゆが)み、喉仏(のどぼとけ)がごくりとあがってまた下がるのを、佐伯は強(こわ)ばった顔で凝視した。

自殺、いったいどうして。佐伯は口の中でつぶやく。

老博士は力なく首をふった。

「たいていの場合、自殺には本当の理由はないものでしょう」

「しかし」

佐伯はやっと言葉を拾ったように問いなおす、「彼はどうしてスペインにいたのでしょうか」

「私達が居たのは、アンドールなのです。ピレネー山脈の中にある小国は御存知でしょう。あそこに合衆国の生物研究所があったのです」

老博士はもとの冷静な表情にもどっていた。佐伯のグラスに葡萄酒(ぶどうしゅ)をついだあと、自分のグラスも満たし、佐伯をうながした。我々の共通の友人、ドクター・クロダをしのんで、と老人は言って杯を合わせた。

アペリティフの強い刺激が、佐伯の乾ききった喉をさした。頭から血液が滑りおちるようなしびれが追撃してくる。グラスを握っている指がピクピクふるえるのが自分でも分った。

「タケヒコは、細菌を融合させる研究をしておりました。もちろん、例の〈センダイ・ヴァイラス〉を使ってです」

ベルナール老人は〈ウィルス〉と言わずに、英語流に〈ヴァイラス〉と発音した。実に二十年ぶりに聞く懐しい言葉だった。佐伯はセンダイ・ヴァイラス、と口の中で復唱しながら、そこに黒田の体臭をかぎ、自分の青春を憶いおこした。

「確かに、黒田は自分が発見した仙台ヴァイラスを持って合衆国に渡りました。しかし、その後彼がどういう仕事をしたのか、実のところ私たちは何ひとつ知らないのです。私が出した手紙も梨のつぶてでした。せめて、彼の研究論文が英文の専門誌に載ることを期待していたのですが、とうとう見ずじまいでした」

佐伯はそう言って、長い嘆息をした。老博士はおもむろに先を続ける。

「日本を出て、彼は実にめざましい仕事をしたのです。まず、セレイシア菌での同種細胞融合に成功しました。それから約一年後、枯草菌とペスト菌を融合させて、新種の細菌をつくり出したのです」

「嘘です！」

反射的に佐伯は叫んでいた。フロントにいたクリスがちらりとこちらを窺ったのが視野の端にみえた。

「本当です」

　落ちつき払った声で老博士は答えた。

「ベルナール博士」

　佐伯は硬い表情のまま続けた。「私も微生物学を専攻する者です。細菌を融合させる仕事がいかに困難なものであるか、身をもって知っているつもりです。確かに、黒田は北東大に居る頃、仙台ヴァイラスが細胞を融合させる性質を持つことを発見していました。しかし、それはあくまで、動物細胞での話です。仙台ヴァイラスに感受性を示すのは、哺乳類から両棲類に至る脊椎動物の細胞だけでした。それらが固い細胞壁を持っていないからこそ可能だったのです。ところが、いまあなたのおっしゃった細菌は、いずれも細胞壁を持つものですね。仮りに、細菌の融合というような大仕事を黒田が成し遂げていたとしたら、微生物学界の一大トピックになっていたはずです。百メートルを五秒で走ったくらいのニュース・ヴァリューがあるはずですから」

　無理に微笑をつくろうとする佐伯の額に汗が光っている。「しかし、私の知っている限り、この二十年間に、そうした論文は一篇たりとも出なかった。だいいち、黒田が合衆国に持ち出した仙台ヴァイラスの行方さえも、謎に包まれたままではありませんか。その後同じような性質をもつＨＶＪというウィルスが発見されていますが、仙台ヴァイラス程強力な融合能力はなかった」

「サエキ教授、私のような先のない老人が嘘言を吐いて、いったい何の得になるでしょう。私はただ、自分の眼で見てきたことを申し上げているのです。タケヒコが新種の細菌をつくり出し、どんな条件下でも繁殖力を失わない病原菌が操作可能になったことを――。それでも信じていただけないなら、仕方ありません」

老博士は鈍く光る眼をまっすぐ佐伯の方に向けて言った。

「ただ、ひとつだけは申し上げておかねばなりません。サエキ教授、もしあなたが、世の中のすべての研究成果が、専門誌に論文として発表されるのだとお思いでしたら、大きな誤解だといえます。例えば、重水素の核融合や、ロケット燃料、アビオニクス、高エネルギーレーザーなどに関する研究が逐一おおやけにされているでしょうか」

佐伯は、傾きかける身体を必死で支えようとしていた。博士は説得力のある言葉で、容赦なく続ける。

「ご存知のように、大多数の学者は自分の成果をいち早く世界中の研究者に知らせて、プライオリティを取ることに血眼になっています。どんな些細なことでも鳴物入りで発表し、先鞭をつけておく。しかし、すべての研究がそうだとは言えないのです。世界を震撼させるような仕事でありながら、研究の性質上、決して表面に出せないものだってあるのです。タケヒコのセンダイ・ヴァイラスによる一連の業績が、まさしくそれでした」

「しかし、いったいどうしてそれが公表されなかったのでしょう」

佐伯はあえぐように言った。自分が、濁流にのみこまれまいとして懸命に岩にしがみついている猿のような形相をしていると思った。

「それについては私の口から何も言えません。現役を退いたとはいえ、私も合衆国に忠誠を誓った科学者です。しかし教授、私が言わなくても、あなたなら十分、推測がつくはずです。合衆国陸軍の管轄になる微生物研究所が、なぜ世界の耳目の集まらない辺境に存在し、タケヒコや私達がそこで何を研究していたかを」

佐伯は眼を見ひらいたまま、ベルナール老人のさとすような口調を聴いていた。黒々と口を開けた新しい事実の前に、自分が数時間前に得々として語った肝炎ウィルス亜型についての研究が、急速に色褪せていくのを感じた。

ベルナール老人は佐伯の蒼ざめた顔を真剣な眼でみつめていたが、クリス青年が地階からあがってくるのを認めて相好をくずした。

「さあ、オードブルは、サラダに、シャンピニョンのオムレツのようです。いただきましょう、サエキ教授」

佐伯はうなずいてフォークをとった。茸特有の香ばしいかおりが鼻をついた。

「セップという茸なんですよ。深い山の下葉のなかに隠れていてなかなか見つけにくいやつなんですが、この間のウィークエンドにヨーヌ県まで行ったとき、採ったものです」

クリス青年は、ややはにかみがちな口調ながら、熱心に佐伯に説明した。

「クリス、実においしいよ」

と、ベルナール老人がほめる。佐伯も相槌を打った。

クリスが去ったあと、老博士は改まったように佐伯に訊いた。

「ところで、明日シンポジウムが終ってからはどうされるのですか」

「翌日ロンドンへ発ちます。ガイ・ホスピタルで二週間、e抗原についての講義をすることになっています」

抑揚のない声で佐伯は答えた。

「どうでしょう。私の代りに行ってみる気はありませんか、タケヒコの墓参りに。タケヒコもきっと喜ぶはずです」

「…………」

「行ってくれますね。ロンドンへ発つのを三、四日遅らせば良いのです」

老博士の窪んだ眼の奥に、瀕死の獲物を見守るような有無をいわさぬ光が宿っていた。佐伯は自分が退路を断たれつつあるのをひしひしと感じていた。

「ベルナール博士。すべてあなたを信じることにいたします」

佐伯は顔をあげて言った。張りつめていた糸がぷつんと切れたような気がした。

「ありがとう。サエキ教授」

「黒田の眠っている場所は、どこなのでしょう」

観念したように佐伯は言った。老博士は、フォークをおいて、無表情のまま、内ポケットから紙片をとり出した。

「これを参考にして下さい」

老博士はワインのボトルをずらして、壁明りの真下で紙片を広げてみせた。

オステルリッツ―→トゥルーズ―→ブッサン―→サンジロン―→ウスト

紙片にはいくつかの地名と、その間を結ぶ交通機関の発着時刻が記されていた。

「タケヒコの墓はアリエージュ県のウストという村にあります」

紙の裏は、そのウスト村の略図だった。老博士自身が手書きしたものだろう。稚拙な地図だ。サンジロンから伸びる一本道は川を横切る手前で二叉(ふたまた)に分れ、ウストの村落をつくる。岐(わか)れ道のつけ根にある星印は、村にひとつしかないホテル。村の西はずれから細い道が出て、山の方角へ彎曲(わんきょく)するあたりにきざまれた十字架が、黒田の墓のある墓地を表わしていた。村の北側は丘陵で、肉太なペン先が波のような線を三つ四つ描き、そのうちのひとつの波がしらに×印がのっかっている。

「墓参りのついでに、この丘の上の家を訪ねて欲しいのです。そしてこれをヴィヴ夫人に渡して下さい」

と言って、老博士は白い角封筒をテーブルの上に置いた。「しかし、これは本人に直接手渡すようにして下さい。彼女の夫や子供たちではまずいのです」

「どういう人なんですか、その夫人は」

と、佐伯は訊いた。

「二十年来、タケヒコの墓の世話をしてくれている人です。この封筒の中味は、墓守りに対する私のささやかな感謝の表現なのです。彼女の年齢はたしか四十三歳、中肉中背で緑色の眼、髪は栗色(くりいろ)で、なかなか魅力的(シャルマント)な婦人ですよ」

老博士はそう言って、はじめて表情を和らげた。

佐伯はなぜその婦人が黒田の墓の世話をしてくれるのか、納得がいかなかった。が、それ以上問いただす好奇心はもはや残っていなかった。ウストという寒村に黒田が眠っているという事実の前で、佐伯は感情の均衡を乱してしまっていた。

「マダム・ヨヨの腕前はパリでも十指にはいると思いますよ」

クリス青年が運んできた、うずらをナイフとフォークで巧みに処理しながら、老博士はそれとなく話を転じた。「一般にパリの人間は、食べたあとが汚くなる料理を好みません。骨が残る鳥や魚は、余り歓迎しないのです。こんな美味しいものを、全くおかしな話です」

老博士は、佐伯の食欲をあおるように冗談を言ったが、佐伯はうずらの肉を削ぎおとしているうちに、満腹感にとらわれてしまった。

「黒田は日本の話をすることがありましたか」

と佐伯が聞いたとき、

「いいえ、ほとんどなかったようです。すっかり米国人になりきっていましたからね。私たちでさえ、彼が日本人であることを忘れるくらいでしたから」

と老博士は答えた。いかにも黒田らしかった。後足で砂をかけるようにして、日本を脱出した彼にふさわしい姿勢だと佐伯は思った。

杏子(あんず)とパイナップルのシャーベットを最後に食事を終えたのは十一時近くだった。佐伯は、したたかな酔いを感じて席をたった。ベルナール老人は勘定をすませたあと、佐伯にちょっと待つように言い、地下のマダム・ヨヨに挨拶(あいさつ)をしに降りた。

佐伯はレストランの外に立って、ほてった顔を夜気にさらしていた。頭の中ががんじがらめになって動かない感じがした。絶えず揺れている身体を支えておくことだけに、思考が働いていた。

マダム・ヨヨとクリス青年がベルナール博士と一緒に出てきて、佐伯に礼を言った。佐伯はマダム・ヨヨの手を握って、晩餐(ばんさん)の素晴しかったことを謝した。クリスに今度パリに来たときは再訪することを誓い、そのときは新妻を紹介してくれるように言うと、頰を赤らめて、「ええ、是非。お待ちしています」と答えた。

老博士と佐伯はほとんど無言で、道を引き返した。老博士の横顔は何か考えこんでいるようでもあり、深い悲しみを必死でこらえているようにもみえた。佐伯は理解しえないまま、ゆっくり歩調をあわせて足を運ぶだけだった。細い道は十分くらいでモンパルナス大通りに出た。中央分離帯の上に駐車の車がずらりと並ぶ。

不意にベルナール老人は立ちどまった。

「サエキ教授、私はここでお別れします。今日はほんとうに勝手なことばかり申してすみません。お陰で楽しい時を過ごすことができました。どうか、先程お頼みした件、お願いしておきます」

「私こそ。すばらしい出会いでした。できれば今度はいつか合衆国でお会いしたいものです」

「ええ、できれば」

手を握りかえしたとき、佐伯は老人の灰色のひとみが潤んでいるのに気がついた。名状しがたい感慨が胸につきあげてきた。

老博士は佐伯の視線をふり切るようにして、通りがかりのタクシーに手をつき出した。車はブレーキをきしませて止まった。

「サエキ教授、どうぞ、良き研究を。遠くから見守らせていただくつもりです」

老博士がそういってドアをしめようとしたとき、佐伯ははっとして声をかけた。

「もし、万が一、ヴィヴ夫人と会えなかった場合、お預りした封筒はどうすればいいのですか」

「その場合は」

と、老人はドアを半ばあけたままで答えた。

「日本へ帰られてから開封してください。私の連絡先が書いてあるはずです」

「わかりました」

ベルナール博士は更になにかつけ加えようとしたが、息をのみこみ口をつぐんだ。

「さようなら（オ・ルヴァール）」

博士はドアをしめた。

「さようなら（オ・ルヴァール）」

佐伯は手をあげたまま、車の赤い尾灯を見送った。

3

翌朝、佐伯は日程を練り直した。ロンドンの旧友リチャードに、到着が何日遅れるのか正確に告げておく必要があった。彼は、十年前佐伯がロンドン医科大学にいた時の同僚で、現在はガイ・ホスピタルの医長をしていた。佐伯がパリ会議に出席すると知って、ロンドンまで足を伸ばすことを強硬に勧め、二週間のスケジュールを勝手につくって、佐伯に送付してきたのだ。一日は母校の医科大学での講演、十日間はガイ・ホスピタルでの連続講義が組まれていた。その代り、報酬の方もたんまりあるから、土産物代はこと欠かないだろうという添え書を読んで、佐伯は苦笑したものだ。

百九十センチはある大男で、実にゆっくりとしゃべる割には、ずけずけと歯に衣を着せないでものを言う。ふくよかな大人しい女房との間に二人の腕白な息子がいたが、もういっぱしの紳士になっているに違いない。

佐伯は、ベルナール博士から貰ったメモをとり出して見る。ガール・ドステルリッツ発九時三八分の急行四七一列車が、トゥルーズに到着するのは午後四時五九分。そこから支線に乗り換え、最後にウスト村に着く時刻は九時五〇分になっていた。丸々十二時間の旅程である。往復二日として、中に二日の余裕をみれば、四日間ずらせばいい計算になった。二十七日ロンドン着の予定を、三十一日にすればいい。それに伴って、日本に帰るのが三、四日遅れるかも知れないが、九月十日に始まる北東大の講義は、助教授にでも代講して貰えば済むことだった。

佐伯はフロントを通じて、ロンドンへの通話を申し込んだ。思ったより早く、二分もしないうちに相手が出た。リチャードの妻だった。歯切れのよいキングズ・イングリッシュを耳にした瞬間、彼女の愛想のいい顔が浮かんだ。夫人はひとしきり佐伯の近況を聞いたあと、朝食にとりかかるところだったと言って、リチャードを呼んでくれた。

「一体、どうしたんだい」

佐伯が、四日ばかり到着が遅れることを詫(わ)びると、リチャードは、皮肉をこめた声で言った。「道行き(エロウプメント)か。パリジェンヌと」

佐伯が独身であり、外国語に強く、時にはジーンズスタイルで研究室に現われる、規格品ばなれした日本人であることに、興味をもっている男だった。

「まあ、そんなところだ」

と、佐伯はお茶を濁した。黒田のことを真面目(まじめ)に話せば話すほど、信用してもらえない気がした。

「どこへいく。ギリシャ、それとも、スイスか」

電話のむこうで、彼は声を和らげた。

「南仏(なんふつ)の方だ」

「地中海か。それはいい。ただし、お金はかかるかもしれないがね。四日間ぐらいいいさ。思い切り遊んでくるがいいよ。益々(ますます)、意気投合したら、一緒にロンドンに連れてくることだよ。きみさえその気になれば、結婚式はウェストミンスター寺院でだって、挙げられるのだから」

リチャードは女房と顔を見合わせて笑っているようだった。「ともかく、フライトナンバーは変らないんだね。三十一日の十三時にヒースローで待っている。土産話を楽しみにしているよ」

道行き、か——佐伯は受話器を置いたあとも、ひとりで苦笑していた。秘密めいた旅ということでは似かよっているのかも知れなかった。

黒田のことも、墓参りのことも、自分の内にしまっておこうと思いはじめていた。仙台に帰って若い研究員に話したところで、額面通り理解してもらえそうもなかった。

無縁仏のように傾いて立っている黒田の墓石が目に浮かぶ。周囲を見知らぬ人々からとりまかれ、二十余年の歳月をじっと耐えてきた黒田の心中を思うとき、佐伯の胸はしめつけられた。ベルナール老人をひきあわせたのは、黒田の浮かばれない霊の仕業ではなかったのかという気さえしてくるのだ。

第二章　侵入（ペネトレーション）

侵入とは、ウィルス全体もしくはそのゲノムを含む一部が、細胞質内にはいっていくことを意味する。この過程はウィルス固定ともいわれ、電子顕微鏡で直接観察することができる。他方、これはまた、ウィルスの増殖を抑制する抗ウィルス血清の力価が減少するのを測ることによっても、知ることができる。その理由は、ウィルスが細胞外にとどまっている限り、抗体の働きが感染力を減弱させているが、いったんウィルスが細胞内に侵入するや否(いな)や、抗体が失効してしまうからである。

(W. K. Joklik et al. : Microbiology)

1

鉄骨が縦横に組交うガール・ドステルリッツの半透明の屋根から、朝の光が濾過されてくる。蜜色に染まった構内で、雑踏が浴室のような響きをたてていた。駅は線路の伸びる方向に半円状の口をあけ、そのむこうには白々とした日射しがはりつめていた。改札口の前に並んだ男の肩ごしに、〈旱魃はあと二週間は続くだろう〉という新聞の見出しが読めた。

駅員が改札の鎖をはずすと、人の列は先を争うこともなく移動し、ホームの右側に停車している列車に、ゆっくり乗り込むのだ。

佐伯が予約していた席は四号車の窓際にあった。車内では二十人程の子供の一団が、荷物を網棚にあげようとして大騒ぎしていた。引率の黒人青年が懸命に制している。佐伯の隣には、一見して成金趣味だと分る老婦人が坐った。佐伯が窓際の席を譲ると、彼女は喜び、礼を言った。ピンクのブラウスの襟元から象皮のような皮膚がのぞいている。左手の指四本に指輪が光っていた。

列車は何の前ぶれもなく動き出していた。

ほの暗い駅構内から白い光の中に出たとき、操車場の線路のむこうに、黒い補修小屋と切換えスイッチが見えた。引込線に無蓋(むがい)列車が二列に並んでいる。

操車場を過ぎると、線路脇(せんろわき)は草枯れた崖(がけ)が続いて、視界を閉ざした。崖の上に赤い屋根の一部がのぞき、更にその上に、抜けるように青い空が拡(ひろ)がっている。

窓の外を眺めていた老婦人は不意に佐伯に話しかけてきた。フランス人には珍しく、相手の目をみないでしゃべる。佐伯が何者であるか一向に気にしていない。言葉が十分に分るかどうかもお構いなしだ。話の過程で次第に彼女の生活が浮かび上がってきた。トゥルーズの郊外で紙工場を経営していて、息子夫婦に会いにパリへ出てきての帰りらしかった。五年ぶりに対面したのだが、会わない方が良かった。息子はナイトクラブに勤めていて、昼間は寝ている。従って色が白い。かつてはエコール・ポリテクニックに入学させようと思った程の秀才だったが、今ではダメ。性悪な嫁に鼻綱を取られて、別人になってしまった。自分のやっている工場はいずれ人手に渡ってしまうだろう。もう夢はない、と彼女は言う。ひとしきりまくしたてたあと、サンドイッチをとり出して食べはじめる。まるで、食うことだけが残された仕事のように、忙しく口を動かす。もう佐伯のことなど眼中にはなかった。

列車はゆるやかな大地の起伏のなかを走っていた。広々とした牧場と耕地。とうもろこし畑を区切っている細長い木立の帯。豊かな農地の盛りあがりの谷間に、満々と水をたたえたクリークが流れる。岸辺の楊柳が葉むらを銀色に光らせる。

車がぽつんぽつんと走る二車線の道路の先に、黒々と耕されたなだらかな丘が幾重にも重なっている。長い柵に囲まれた、芝生と菜園のある四角い家。やがて家がたてこみはじめる。煤けた壁の倉庫や、工場の横に、社宅が群れる。同じような造りの家に、同じような庭がつく。一目で工業地帯だと分る雑然とした駅。

老婦人は窓に頭をもたせかけて眠っていた。前方の席を独占していた子供たちが、喚声をあげて通路を走り抜けるのを、黒人青年が追いかけはじめる。

ブリーヴを過ぎると、トンネルが多くなった。トンネルの合い間に、山と丘と道と家がみえる。駱駝の背のような山々が忽然と現われ、その山に囲まれた黒っぽい樹林が眼前を行き過ぎる。ゆるやかな丘のうねりの斜面に、白い道が糸のように細く刻まれ、風景の中の距離が想像以上に大きいことを示唆している。時おり陽がかげり、台地状の丘が古墳のようにみえた。森と教会をもつ寒村がひっそりとたたずんでいる。

佐伯は放心状態にいた。目の前を流れる窓外の風景も、車内の乗客も、自分とは何の関連もなかった。仕事とも肩書とも切れた、一介の中年男がぽつねんと坐っている感じだった。列車が轟音と共にトンネルに突入し、外の景色が遮断されると、かすかな自分の存在さえも消えていくようだった。冷房の効いた、黄色灯のともる車内で、佐伯は身震いし、思いつくまま日本語をつぶやいてみる。（さようなら）（ありがとう）（あした）そして、

仙台ヴァイラス。

佐伯はベルナール老人の口調で言う。なにか得体の知れぬ不気味な響きをもつ単語だった。ヴァイラスという語がつけられることによって、慣れ親しんだ仙台の町が変容する。その言葉を最初に耳にしたときの戦慄が、好機を捕えたように、まざまざとよみがえってきた。

2

昭和二十七年。その年、仙台は春が遅かった。一たん緩みはじめた寒気がテープを巻き戻すようにぶり返し、三月半ばになっても連日雪が降った。二月はじめの大火のあとに建てられた仙台銀座のバラックに、雪が分厚く積っていた。

三月二十日、北東大学産婦人科新生児病棟に急患がはいった。生後一週の赤ん坊で、

感冒様の症状を呈していた母親から感染したらしく、気管支肺炎を併発して瀕死の状態であった。

患児の姓は伏見といい、後に文献にその名を残すことになる。同じ病室には他に六人の新生児が収容されており、うち三人が未熟児だった。赤ん坊たちは翌日から次々と肺炎症状を示しはじめ、千八百グラムに満たない早産未熟児を除く五名が、高熱と悪寒に見舞われた。

病魔は隣接した病室にも及び、一週間のうちに更に四名が相次いで新生児肺炎にかかった。調べてみると、そのいずれもが浴室か検査室で最初の患児と何らかの接触があったことがわかった。病院側は緊急体制をとって健児と患児を完全に分離し、入退室時の消毒を厳重にチェックしはじめた。

産婦人科の医局は治療に万策を講じる一方で、当時仙台に駐留していた米軍四〇部隊にも患児の恢復期血清を送り、病原体の検索を依頼した。外地から持ち込まれた感染症の可能性もあったからだが、Q熱、オーム病、リンパ肉芽腫に対する抗体は証明できない、という返事がかえってきた。

結局、病気が新生児病棟全体に蔓延するという最悪の事態は避け得たものの、三月下旬から二カ月間に十七例が発病、うち十一例が死亡したのである。罹患率15%、死亡率は65%という恐るべき肺炎だった。

院内感染であることは間違いなく、大学病院の管理ミスが取沙汰されたが、医局側は一応最善の手段をつくしていたと言える。発病とともに患者を隔離し、保温器、酸素吸入、補液、抗生物質投与、葡萄糖ビタミン剤の静脈内注射、母親の血清注射など、当時考えられるあらゆる治療を加えていた。いわば、二次感染は不可抗力に近かった。ただ、小児の肺炎には手慣れている医師の誰もが、この肺炎の臨床像には首をかしげていた。これまで知られている肺炎のどれにも合致しないものだった。成人や年長児では単なる風邪症状で終るのに反し、新生児は突然四十度に及ぶ稽留熱で発症していた。呼吸促進とチアノーゼが著しく、胸部X線像は広汎な弥漫性陰影を呈した。細菌性肺炎なら三、四万にもなるはずの白血球増多が、ここでは二万どまりだったのである。

産婦人科では死んだ患児の両親を説得し、十一例のうち九例を剖検に付すことができた。病原体は、犠牲になった赤ん坊の肺にまだ巣食っているはずだった。解剖は病理学教室が担当し、九人の肺の一部が細菌学教室に送られてきた。病原体検出のためである。

当時、北東大学細菌学教室は教授以下、助教授一、講師二、教室員十二、三名の比

較的小世帯であった。ウィルス学はまだ細菌学から分れていなかった。教授は結核菌の大家で、その頃既に結核の免疫に関するいくつかの研究を発表しており、教室には、免疫という未知の分野に興味を抱く若い研究者たちが集まっていた。

佐伯は教室にはいって二年目を迎えようとしていた。同期入局組に黒田武彦がいた。といっても、年齢は佐伯より二つ三つ上だったはずである。黒田は北東大医学部の出身ではなく、旧制中学から東京の理科系専門学校を出、しばらくK大医学部の研究補助員をしたあと、公募によって北東大に移籍してきていた。大学院生でもなく、専修生という一段低い身分だった。

彼は臨床医学に関する知識はなかったが、微生物方面の造詣は、医師としての修練を受けただけの新米教室員の及ぶところではなかった。なかでも実験技術は水際だっており、培地の作成、菌の培養、染色、器具操作にかけては、講師連中でさえ一目おいていた。それだけに黒田自身も、上級医局員の下働きで甘んじているふうではなかった。早々と自分なりの研究をして学位をとり、あわよくば先輩を出しぬいてでも系列下の大学に正式なポストを得ようとする野心をむき出しにしていた。古参の教室員たちにはそれがいささか生意気にうつったこともいなめない。

教授は産婦人科から依頼された新生児の肺九例をK講師に渡し、その助手に黒田をつけた。

しかし、はじめから教室全体がこの新生児肺炎には気乗り薄だったのだ。教室のメインテーマが結核の免疫現象であるだけに、突如として舞い込んだ余分の仕事を厄介がっていた節があった。肺炎の原因が海のものとも山のものともつかぬゼロの状態から実験をすすめていけば、一応の結果がでるまで最低二、三カ月はかかる。万が一、途中で失敗でもすればその数倍の時間を費すことは覚悟しなければならない。その分だけ、自分本来の研究は遅れをとることになるのは明らかだった。

K講師は当然のことのように、実際の仕事を全部黒田に押しつけてしまい、教授もそれを黙認した。

基礎系の研究棟は医学部キャンパスの東南の隅にあった。一階が生理学、二階に細菌学と病理学の一部が同居していた。古い木造の廊下は歩くと軋(きし)んだ。佐伯と黒田は、廊下のつきあたりの器具置場兼実験準備室をあてがわれていた。窓際にセメントの流しがあり、コルベン、試験管、ヴィダル管、シャーレなどの実験器具を納める棚が一方の壁を埋めている。部屋のすみに、孵卵器(ふらんき)が二基、恒温槽がひとつある。甲冑(かっちゅう)に似たごついコッホ釜(がま)の横の扉をあけると、奥は現像室だった。

がらくたを適当に整理してできた空間に二人の机を並べ、間を衝立(ついたて)で仕切った。入口側の佐伯の机がいつも片づいているのとは対照的に、黒田の方は湯のみ茶碗をおくすきまもなかった。

黒田は産婦人科から委託された肺を乳剤にして、型通り、ブイヨン、普通寒天培地、血液平板寒天を使って細菌の検出をはじめていた。佐伯が朝八時半にやってくる頃には、もう衝立の向うでがさごそ働いており、夕方六時に帰宅するときも、黒田は白金耳をもった手を軽くあげて応じた。その熱中ぶりからは、K講師から一方的に押しつけられた仕事をむしろ楽しんでいる風にみえた。

しかし昼休みの一時間、判で押したような図書館通いはやめなかった。同僚たちが昼飯に何をとるかの相談をしはじめるのを尻目に、すっと席をはずす。まるで、空腹をまぎらわすために、本の森の中へ逃げ出していくような感じだった。教室に入りたての頃、佐伯が何気なく「お前は昼飯は食わんのか」ときいたことがあったが、「十年前から昼飯は食ったことがない。時間と金の節約になるから一石二鳥だ」と涼しい顔で答えたものだ。

黒田が実験を始めてひと月たった頃、佐伯は昼飯時に買ってきた芋饅頭を黒田の前にさしだした。黒田は実験の手を休め、衝立のこちら側に来てうまそうに食った。

「どうだい。目処はついたのか」

と、佐伯は訊いた。

「いや」黒田は首を振った。

「たいていのところで切り上げてもいいのじゃないか。おやじだってさして乗り気でないし」

「そんなに俺がいやいやながら仕事をしているように見えるか」

黒田は目をむいて佐伯に問い返した。「他人の学位論文の下請けをさせられるよりましだ。俺の性にあっている。細菌にせよ、ウィルスにせよ、人間を相手にするよりよっぽど面白いさ。きみも、臨床医にならずに細菌学を選んだくらいだから、分るだろうがね」

黒田の言葉は佐伯をうろたえさせた。佐伯自身はいつまでも細菌学教室に居残る意志はなかったからだ。四、五年で学位をとったら内科にもどるつもりでいた。基礎に来たのも学位取得の方便だったのだ。

「俺は医者は嫌いだね」

と、黒田は佐伯の心中を見透したように言い放った。「金と力がないやつは虫けらみたいに細々と生きていけばいい。病気持ちも同じことさ。死病にかかったら素直に死んでいけばいいのだよ。新しい者はあとからあとから続いてくるさ。ほら、あの軍医あがりのK講師の話を覚えているか。ルソンで負けて退却していくとき、落伍（らくご）した兵の持物を、後からくる兵隊がひとつひとつはぎとっていく話だ。気力を失った兵隊は抵抗もせず、最後には下着一枚になり、死ナセテクダサイ、死ナセテクダサイ、とつぶやき続けたそうだ。持物をはぎとった兵が斃（たお）れれば、次の生残った者がそれを奪っていく――。俺はその話を聞いて感動したよ。これこそ科学でいう新陳代謝なんだ。全くの自然の摂理さ。生れて、病んで、死んでいく、その繰返し。それでいいと思うよ。ところが、医者は仏面（ほとけづら）してそれを妨害している。生命の尊厳などという訳のわからないものを表看板にしてね。足掻（あが）き、のたうち回って、生にしがみつくのがなんで生命の尊厳なものか。金と力のない連中が数を頼んで民主主義を標榜（ひょうぼう）するように、自然の摂理に恐れおののく病人たちが、どんどん医者をつくり出しているのさ」

彼一流の皮肉には佐伯も口をつぐむしかなかったが、それが彼の本心でないことは分っているつもりだった。人一倍感性の高い心をことさら非情な言動で塗りかためている。自らが傷つく前に、他を傷つけることで、身を守る本能的な所作が黒田にはあった。ほんのちょっとしたことで、その固い防禦（ぼうぎょ）がはずされると、彼の優しさが露呈してしまうのだ。

佐伯は温泉宿での出来事を覚えている。教室にはいった年の六月、S助教授が弘後大の教授に昇格することになり、年一度の医局旅行を兼ねて、ひなびた秋保(あきう)温泉で送別会がもたれた。名取川に面した旅館の座敷で二十人近い教室員たちが酒盃(しゅはい)を重ねて、騒ぐ。酒よりも、出された料理の方を早々にたいらげた佐伯は、トイレに中座したとき、腹部に異常を感じた。急に吐き気がこみあげ、胃のところに圧迫されるような重い痛みがあった。食べ過ぎだと直感して、宿屋そなえつけの正露丸を飲んで自分の部屋に戻った。

縁側の長椅子(ながいす)に横たわって、暗い流れを見おろしていると、宴会のさんざめきが耳を打った。酔いのまわった唄声(うたごえ)が虚(むな)しく響いてくる。吐き気はいくらかおさまっていたが、鈍い痛みは次第に形をかえて、たちの悪い疝痛(せんつう)にかわりつつあった。生汗が出て、長椅子に坐(すわ)っているのが苦痛になり、押入れの戸を開けて、やっとの思いで布団(ふとん)を敷いた。

宴会の座を途中で切り上げた黒田が部屋にはいってきたとき、佐伯は布団の中で青ざめた顔をしていた。

「どうした。空(す)き腹に安酒の流しこみか」

黒田が皮肉な言葉を投げたのに応じる余裕はもう残っていなかった。黒田が手をさし伸べて佐伯の額に手の平をあてるのを、何か救いのように感じた。

「熱があるよ」

「下腹が痛くて動くこともできん」

佐伯はやっと答える。

「お前、盲腸じゃないのか」

黒田がびっくりした顔で見入ったとき、佐伯はうかつにも、はじめて自分の病状を思い知ったのだった。ああ、たぶんそうだ、と佐伯は苦笑した。

「待っていろよ」

黒田はあたふたと部屋を出ていき、十分ほどして戻ってきた。

「佐伯、リヤカーには乗れるな。茂庭の外科医院にやっと連絡をつけることができて、患者を連れてくるなら診てやるというのだ。大丈夫、六キロくらいしか離れていない。一時間の辛抱だ」

旅館の若い使用人と黒田に両脇を支えられて、階段をおりた。へそから下が麻痺したように感覚がなかった。浅い息しかつけない。玄関先のリヤカーに、宿屋の主人が布団を伸べているところだった。

「教授にひとこと言っておかなくちゃまずいだろうな」

と言い置いて、黒田は座敷の方へかけ戻った。

五、六軒しかない旅館のあかりが、あたりを薄白く浮かびあがらせていた。宴会の音がいくつか交錯しあっている。佐伯は目を閉じ、腹を抱きこみ、ひとつひとつの呼吸をかぞえるようにして息をついた。腹の痛みは既に右下腹部に移動していた。一分おきに悪寒が襲った。

「佐伯君、大丈夫か」

玄関先に出てきて声をかけたのは幹事役のI助手だった。耳たぶまで赤く染め上がった顔を恥じいるように、目を細め、口許を歪めていた。

「黒田君が連れていってくれるらしいから任せておくよ。他の連中には黙っていた方がいいと思ってね。すっかりアルコールが回ってしまっているし。明日でも、病院から連絡してくれ」

I助手はそう言って、リヤカーを押し出す仕草をした。黒田が梶棒を取り、旅館の男が、車輪の脇を後押しした。

「教授に言うと、おれがその茂庭の外科医に話をつけて頼んでみようというのだ。断ったよ。酔った声で高飛車に出られては、かえって先方は機嫌をそこねてしまうからね」

と黒田は言った。

凹凸の多い道だった。リヤカーが揺れるたびに、黒田は詫び入った。佐伯は、二人の男が地面を踏む音、車輪が小石を撥ねる音を聞きながら、すべてを黒田にあずける気になっていた。恩義は一生忘れまいと何度も自分に言いきかせた。

どれくらいで医院に到着したかは覚えていない。長い道のりであったようにも思うし、目がさめると着いていたような気もする。看護婦が二人出てきて、四人がかりでリヤカーから担架に移されたところはかすかに記憶がある。黒田の低く太い声が、院長らしい男の声と、何か話していた。

「佐伯、いいか。すぐ手術だそうだ。大丈夫、俺がちゃんといるから心配することは何もない。身体のことは先生にまかせ、その他のもろもろは俺にまかしておくのだ。おふくろさんにも電話して、明日の朝来てもらうことにするからな」

黒田は佐伯の手を握って言った。佐伯は黒田の顔を見上げて、黙ってうなずく。涙がこみあげてくるのを不覚だと思った。

翌朝、病室で目を覚したとき、視野のなかで黒田の顔が笑っていた。

「九時にはおふくろさんが来るぞ」

「手術は」

「ああ、化膿したところが少しばかり破裂して、すんでのところで腹膜炎になりかけるところだったらしい。もう大丈夫さ。気分いいだろう」

「傷口が痛い」

「馬鹿、それはあたりまえだ。あとはガスの出るのを待って、じゃんじゃん食べるだけさ」

　黒田は充血した目を細めて言った。

　そのときの手術痕は細いケロイドになって、佐伯の右下腹に残っている。黒田の思い出が瘢痕のように脳裡の奥底にきざまれているのと同じだ。

　黒田は当時、柏木町の学生専門の下宿屋に住んでいた。食うだけでやっとの大学の給料から本代や、実験の費用を捻出していた。臨床医なら週一回の内職をして、月三、四千円くらいは稼げたが、基礎系はそうもいかなかった。卒業しても、若い教室員の大半はまだ親許から援助を受けていた。

　黒田は足りぬ収入を補うため、日曜日ごとに、当時本町にあった市の屠場へ通っていた。そこで牛と豚の腑分けのアルバイトをしながら、採取した豚の脳下垂体を内科の研究室に持ち込む。内分泌の研究材料として貴重なもので、結構いい金になるらしかった。

「豚の足は業者が引き取りにくるが、頭は夕ダさ。切り落して穴に放りこむ前に、頭蓋を割って、すばやく下垂体を取り出すのだけど、どんなに急いでもひとつに五分はかかる。昼の休憩時間にやるのだから数はこなせない。首はまだ生温かいよ。いや体温の残りではなく、毛をおとすためにかけた熱湯のせいさ」

と、黒田は言った。

黒田の郷里は佐賀だった。ただ一人の身内である兄が、精神病院にはいっているという噂も、黒田の対人関係の表面にある得体の知れない堅い殻を感じている者には、なんとなく真実味を帯びてきこえたろう。

佐賀での生活について、一度だけ彼の口からじかに聞いたことがある。黒田がなぜ酒を飲まぬかという話から、言いだしたことだった。

巡査だった黒田の父親は、酒の勢いで上司を殴り、免職になってから以後定職につかなかった。黒田がもの心ついたとき、一家はある篤農家の納屋の二階を間借りし、父親は家の中でごろごろして毎日酒をくらってばかりいた。炊事場の横の破れた金網の中に飼っている鶏のめんどうをみるのが唯一の仕事だった。鶏は台所から流れてくる飯粒や、付近のみみずを勝手に食って太り、卵を産んだ。父親は気が向くと鶏の首を締めて一人で料理し、一人で食った。そしてどこからか代りのひよこを捕えてきて、金網の中に放りこんだ。母親が村長の使い走りみたいなことをして稼いだ日銭の大部分は酒に消えていた。黒田たちは毎日おからばかり食わされた。

黒田が小学校にあがる前、一家は夜逃げした。真夜中に起された。寝ぼけまなこで階段をおりるとき、足をすべらし、父親からものすごい力で引きあげられた。「音をたてるな」と、父は目をむいて叱った。納屋に積まれている藁の乾いた匂いが息苦しかった。

四人は薄暗い村道を、家のたてこんでいない方角へ歩いた。どこへ行くのか分らなかった。黒田は小さな風呂敷包みを持たされていた。風呂敷の中には、猿股や丸首シャツ、ぼろ布のような自分の普段着がつめこまれていた。五つ年上の兄が背負ったリュックの中で、かたかたと食器がなった。母親は馬鹿でかい包みを肩にかついでいた。父親は、黒田がかつてみたことのない角のすりきれたボストンバッグをさげていた。父親の吐く息が、珍しく酒臭くなかった。誰にも出くわさずに、やっと村なかを通り抜けたところで、先頭を歩いていた父親が不意に立ち止まった。道から五、六メートルそれたところに稲荷様の祠があった。その前に、黒い影がくぐまっていた。隣家のクマ婆さんだった。歯のない口を一文字に閉じて、じっとこちらを見ていた。父親は金しばりにあったように動かなかった。クマ婆さんは曲った腰をこころもち伸ばすようにして、眼をしばたたいた。稲荷様の祠の中で、ろうそくの赤い炎が揺れていた。そのとき、母親が婆さんに手を合わせて、おがむような恰好をした。兄もそれを見倣って、ピョコンと頭を下げた。父親は放心した顔で女房を見、そしてクマ婆さんを見た。すると婆さんは「早う、去ね、去ね」と言うように、手を胸の前で振った。母親はくしゃくしゃの顔で何度も頭を下げた。機械仕掛けのようにぎくしゃくと父親が黒田の手をとり、歩き出した。しばらく歩いて、黒田が後をふり返ると、クマ婆さんが追いかけてきていた。地面に平行になる程曲ったからだから、首だけをまっすぐおこして、駝鳥みたいにして走ってきた。黒田たちに追いつくと、そそくさとふところから取り出したものを、兄の手に握らせた。布の財布だった。兄はそれを握りしめたまま、じっと父親の顔を見上げた。父親の眼玉はまんまるだった。「おやじの真剣な顔をみたのは、そのときが最初で最後だった」と、黒田は言った。

黒田が病原菌の検索を開始して五、六週間たった頃、病理学教室が剖検例九例についての報告をまとめあげた。病変の主座である肺臓は、肉眼的に強い充血を示し、不規則な出血性肺炎巣が認められた。病巣部は含気に乏しく、血液に富み、浮腫をきたしていわゆる肺の脾臓化がおこっていた。組織学的には、肺胞及び細気管支が赤血球で充満していた。肺胞隔は、血液成分と細胞増殖によって二倍から七倍にふくれあがり、肺胞腔が著しく狭められている。

このような所見から、報告書は肺炎の原因は細菌ではないとしていた。かといって、ウィルスだとも断定はしていない。原形質内封入体の存在しないことや、細気管支上皮の増殖性変化がないこと、細気管支腔内への細胞性侵出を認めず、硝子様膜もないことなどが、一般のウィルス性肺炎とは異なっていたからである。

一方、そのとき黒田の方も、肺炎が細菌によるものでないことを既につきとめ、マウスを使って病原体の固定にとりかかっていた。

肺の10％ブイヨン乳剤にペニシリンとストマイを加えて遠心し、その上澄液を雑系マウスに経鼻感染させた。第一代マウスで発症したもの三例、第二代で発症したものが二例あり、そのいずれもが十日以内に死んだ。死んだマウスを剖検すると、肺にインフルエンザ同様の膠着がみられた。

黒田はこのなかから、マウスに対する毒性の最も激しかった伏見株を選び出し、更にマウス体内で経代した。同時に、死亡したマウスの肺乳剤を発育鶏卵十日目の羊膜腔内に接種して、ウィルスの増殖をはかった。

初夏になっていた。梅雨が例年になく早くあがった。寒い冬の反動で暑い夏になりそうだった。

K講師や教授は、時折黒田に実験の進みぐあいを訊くだけで、佐伯たちの部屋の衝立のむこうに足を踏み入れることもなかった。産婦人科教室の方でも、病理学教室の論文が出て以来、ウィルス性肺炎だったということで納得していた。ウィルスだとすれば、治療上打つ手はなかったのだ。

「佐伯、ちょっと来てみないか」

教授から頼まれたフランス語の論文を抄訳していたとき、衝立の裏から黒田の声がした。

窓際の桟に置かれたラックに、五十本近い小試験管が並んでいた。上からのぞくと、底には赤血球が沈んでいる。

「むこうの二列がニワトリの赤血球、こっちがモルモット、手前がヒトとウシだ」

「赤血球が凝集しているのじゃないか」

佐伯は試験管の底の赤いものをみて言った。

「そう。だがね」

と、黒田は別の試験管を指さした。「ヒト赤血球の凝集は、インフルエンザA、B、

Cのどの血清を加えても抑制されないのだ」

「というと……」

佐伯が顔をあげて訊くと、黒田の顔に会心の笑みが浮かんだ。

「病原体はインフルエンザ・ウィルスではないということさ」

当時、既成書にはウィルス性肺炎として、インフルエンザ、原発性非定型肺炎、アダムス乳児肺炎、巨細胞肺炎などが記載されていた。このうち断然頻度が高く、最も可能性があるとみられていたインフルエンザが、黒田の実験で否定されたのである。

この実験結果は邦文の医学誌〈ウィルス〉に掲載された。筆頭論者は教授、次席論者はK講師で、黒田の名はどこにもなかった。論文は、この新しい肺炎を仙台型ウィルス性肺炎と命名していたが、説得力をいささか欠いていた。学界の大方の反応は、新型という程の大げさなものではなく、インフルエンザの非典型例だろうと、軽くみなしていた。

この仙台型肺炎ウィルスの性状を更に分析させて欲しいと、黒田が願い出たとき、教授がそれを拒否する理由はどこにもなかったが、決して快い返事ではなかった。

「いいだろう。ただし、午前中は教室の仕事をちゃんと手伝って貰うからね」

と念をおした。

だが、古参教室員から言いつけられる雑用は午前中ですむことは少なかった。黒田は夕方になってからようやく自分の仕事をすることができた。日曜日毎の屠場通いもやめて、研究室に通いつめた。教室から研究費が出るわけでもなく、黒田の乏しい収入は大半がマウスの購入費と、餌代に消えた。佐伯は何度も借金を申し込まれた。三百円とか五百円の小さな額だったが、黒田は「すまん」と言って、下手くそな字で書いた借用証を代りに渡した。

その年の十二月、「仙台型肺炎ウィルスによるエーリッヒ腫瘍細胞の融合」と題する黒田の論文が、〈北東医報〉に載った。北東大学医学部が毎月発行する五十頁足らずの薄ぺらな雑誌だったが、学内の若い研究者にとっては貴重な発表の場を提供していた。

今度の論文の筆者はかけ値なしで、黒田ひとりになっていた。八頁程の英文であり、うち四頁が顕微鏡写真で占められていた。ふつう、この医報に載る論文は邦文で書かれ、末尾に英語かドイツ語の要約をつけるのだが、黒田のは全文英語だったから異彩を放った。黒田の頼みで、佐伯が二日がかりで英訳してやったものである。佐伯は、黒田に何ひとつ手伝いらしきことをしていない償いとして、それをひきうけた。黒田の原稿をアパートに持って帰り、何度も訳しなおした。疲れると、原稿に添えられた白黒の顕微鏡写真をじっと眺めた。黒い闇に牡丹の花が白く浮き出ているような写真だった。(仙台型肺炎ウィルスを感染させられて融合したエーリッヒ腫瘍細胞)という説明がついている。暗い培養地の上にぱらぱらとまるい細胞が散らばり、そのなかの三つ四つ、あるいは五つ六つがくっつきあって、花弁のような巨細胞をつくっていた。巨細胞の数は、感染させるウィルスの濃度と、培養期間に比例して増加する。つまり、腫瘍細胞に吸着したウィルスは細胞内にとりこまれて増殖するが、その過程で細胞に何らかの変化が生じて、互いに身を寄せ合って融合してしまうのだ。

融合した巨細胞の電子顕微鏡写真もあった。白い花弁のような巨細胞の中に、五、六個の核が放射状に並んでいるのをみて、佐伯は美しいと思った。「ウィルスは人間よりきれいだ」と言った黒田の言葉を憶いだした。

しかし、このウィルスの研究がどんな方向に進展していくのか、佐伯は知るよしもなかったのだ。

3

昭和二十八年が明けて早々、基礎系研究棟の玄関前に、一台のジープが横づけになった。六十がらみの厚いコートを着た男が、ジープからおりて、建物の中にはいっていった。運転席で、制服の若い米兵が二人、手持ち無沙汰にガムをかんでいた。

まもなく、教授秘書が佐伯を呼びにきた。

教授室にはいると、恰幅の良い西洋人が椅子に深々と坐って、葉巻をくゆらせている。その前で、おやじが顔を強ばらせ、前かがみで眼を伏せていた。

「すまんが、通訳してくれないか。だいたいのことは分るが、こちらの言うことがさっぱり通じない」

ドイツ語ほどには英語ができないおやじは、佐伯をみて、ほっとした顔をした。

男は、仙台に駐留していた米軍北部兵站司令部の疫学部長であった。佐伯を前にして、容赦ない速さでしゃべりまくった。佐伯は何度も聞き返さざるを得ない。

「〈北東医報〉に載った細胞融合についての論文を読んだが、ユニークな研究だ。論者の黒田という男を、是非とも米国の研究所に招きたい。優秀な日本の頭脳を開花させるのも、占領軍の任務のひとつであり、彼に思う存分、センダイ・ヴァイラスの研究をさせてみたいのだ」

男はそういう意味のことを言った。

センダイ・ヴァイラスという語が佐伯の耳を貫いたのは、そのときが最初だった。

黒田の論文の写真で見た、エーリッヒ腫瘍(しゅよう)細胞の融合像が憶(おも)い出された。大輪の白い牡丹(ぼたん)のような図。花弁のひとつひとつが、融合した核だ。黒田の長い苦闘がここで開花したのだ、という思いが、複雑な実感として迫ってくる。急に黒田が大きくなったような気がした。

「ウィルスの研究でしたら――」

と、おやじは上目づかいに言った。「私の教室には、他にも適当な人材がおります。黒田はまだ若すぎるのでは――」

「若すぎる？　いったいいくつです」

「まだ二十五か六のはずです」

「だったら、まさに最適じゃないか」

「いやまだ、十分な経験(キャリア)がある訳ではないし」

と、おやじは口許(くちもと)を歪(ゆが)めた。

「ははあ」

と、疫学部長は皮肉な微笑をうかべる。「日本人はこれだからダメだ。経験(キャリア)とは年齢のことではない。年がいくら若くても、あのセンダイ・ヴァイラスを使った細胞融合の仕事を、経験(キャリア)という。我々が欲しいのは、その経験(キャリア)をもった黒田という青年なのだ。若ければ若いほど結構」

軽蔑の色を帯びた眼が、おやじをじっとにらみつけている。

「それから、もうひとつ。重要なことだが、黒田の使っていたセンダイ・ヴァイラスも、彼と一緒にすべて米国に移したい」

「それは、もう私たちにあのウィルスの研究をするなということですか」

おやじは蒼ざめた顔で訊いた。

「そういうことです。教授」

疫学部長は慇懃無礼に答える。

「しかし、あの肺炎ウィルスは黒田個人の力で見出したものではなく、教室員の総力を結集した成果なのです」

嘘をつけ、と佐伯は胸の中で叫んだ。何ひとつ手を貸したことはないくせに、いや援助するどころか、最初の論文には他人の褌で相撲をとって、しゃあしゃあと自分の名前で発表したのではなかったか。

佐伯はその箇所だけ故意に逐語訳をしなかった。

「あなたがノーと言っても、これは大学の決定になるでしょう。まもなく、学長の方から私がいま言ったことと同じことが伝えられるはずだ」

疫学部長は有無をいわさぬ口調で言った。

おやじはそれ以上食い下がる気力はなかった。虚ろな眼をあげ、弱々しい声で秘書を呼ぶと、黒田を連れてくるように命じたのだった。

当時、米国留学は科学者の誰でもが抱く夢だった。中断されていた欧米の専門誌が、敗戦と共にどっとはいってきたとき、生き永らえて現場に戻った研究者たちは、欧米の論文を前にして立ちすくまざるを得なかった。追いつき、迫ろうとしていた知識技術は、十年たらずのブランクのあと、戦いの前以上に水をあけられていたのだ。昭和二十五年頃から、米国の基金によって渡米する研究者が出はじめていたが、人員の枠はまだ少数で、地方大学にはなかなかチャンスがめぐってこなかった。疫学部長の申し出に対し、できることなら、おやじ自身が行きたいとさえ思っていただろう。

やがてドアをノックして黒田がはいってきた。頬のこけた長身の身体に、汚れたよれよれの白衣をまとっている。目だけをギョロリとむいて西洋人を一瞥し、教授にすすめられるまま、椅子に坐った。

教授はやや上ずった声で、これまでのいきさつを黒田に説明した。教授の上気した顔とは対照的に、黒田の煤けたような血色の悪い顔は無表情だった。

「それで、合衆国ではどういう資格で仕事をすることになるのですか」

　教授の説明が終ると、黒田は疫学部長に日本語で聞いた。疫学部長が佐伯の方を見返して、通訳を促した。

「リサーチ・フェロウとしてです。あなた自身で、自分の研究に必要なだけの予算と、助手の人数を請求することができます。つまり、物質的な援助と労働力はすべて国家が提供してくれます」

　疫学部長が答えると、教授はふうっと大きな息をついて、椅子の背に身体をもたせかけた。

「しかし、なにか条件を課せられるのでしょうね」

　と、黒田は冷静な顔で聞く。

「条件は、あなたにセンダイ・ヴァイラスを使って細胞融合の研究を続けてもらう、というだけのことだ」

　黒田と疫学部長はにらみあったまま、沈黙が流れた。教授は苦虫を噛みつぶしたような顔で二人をながめている。

「玉木教授、私は行きたいと思いますが、かまわないでしょうか」

　黒田の言葉に教授は不意打ちをくらったように息をつめた。

「きみの自由だ。この教室を出ることについては誰も止めない」

と、できるだけそっけなく答えた。出るのは勝手だ、しかしもう戻ってこれないことを言外に含ませた言い方だった。

「ありがとうございます」

恭々しく頭を下げた黒田の胸中には、教授から絶縁された落胆と、いつかは見返してやるという怨念じみた思いがまじりあっていたに違いない。

黒田が渡米することはすぐ他の教室員にひろまった。祝福する者は誰もいなかった。仙台ウィルスを残らず持ち出すという事実にひっかけて、黒田を恩知らずとまで、ののしる者もいた。

黒田のまわりに溝が作られ、黒田の方も、うまく立ちまわることができず、ぎこちなさは大きくなるばかりだった。彼は、佐伯と口をきくことも意識的に避けているようだった。米軍との交渉はすんだのか、黒田は一週間ばかりして身辺の整理をはじめた。佐伯と同居していた部屋の衝立のむこうで、黙々と荷を作る姿には、すべてを拒絶する孤独感が漂っていた。

「出発は決まったのか」

と佐伯はみかねて言葉をかけた。

「五日後だ」

黒田は固い表情で答える。

「送別会を二人でやろうか。一晩くらいあいているだろう」

と佐伯が言うと黒田ははじめて、顔をなごませた。

翌々日の晩、黒田が佐伯のアパートを訪れたときは、ぼさぼさの頭と妙に不釣合いな新調の背広を着ていた。借用証の写しを畳の上に並べて、一割の利子をつけて金を返した。佐伯はその金で酒と肴（さかな）を買ってきた。日頃酒を飲まぬ黒田が珍しく盃（さかずき）を重ねた。

「礼を言うよ。きみが英文にしてくれたお陰で、論文が彼らの目にとまった」

と黒田は目を赤くして言う。

「英文のせいじゃないさ。内容だ。結局、ぼくはきみに何もしてやれなかったのと同じだよ。今夜はささやかな壮行会と思ってくれ。教室主催の送別会もないようだから」

と佐伯は言った。

「教室の連中にしてみれば、俺が仙台ヴァイラスを全部持ち出すことに、腹を立てるのは無理もないだろうな。少しでも残しておきたかったが、例の疫学部長はその一点だけは譲ってくれなかったんだ」

「いいさ、仙台ヴァイラスはきみのものだよ。おやじにしてもK講師にしても、一度だってきみと一緒に試験管を握ったことがあったかい。まして、他のお偉いさんたちは、ぼくたちの部屋に足を踏み入れることもなかったんだ。そのことは、ぼくがようく知っている」

「ありがとう」

「教室の連中は研究にかけては秀れているかも知れないが、所詮、年功序列は破れないんだよ」

と、佐伯は言う。「アメリカはその点いいだろうね。実力があるものはどんどん伸びていく。きみにはうってつけかもしれない」

「カネもコネもない、毛並もよくない人間にとっては、チャンスを摑むしかない。それも一生に一度めぐってくるか否かのチャンスをものにしなくちゃならない。それを逃したときが一巻の終りだ」

黒田は自分に言い聞かせるように話した。

「俺には、両親もいないし、日本を離れることに未練はない」

「兄さんがいたのではなかったか」

「兄は病院にいる。精神病院にね」

黒田はそういって口をつぐんだ。佐伯は、いったん開けた窓を目の前でピシャリと閉められた感じがした。

「黒田、きみはもう帰ってこないつもりじゃないのか」

「多分ね」

「そうか。成功を祈る。むこうについたら手紙をくれ。仕事の成果も知らせてくれるとありがたい。ぼくの方でも英文の専門誌には気をつけておくけど」

と佐伯は言った。

「佐伯、きみとむこうで会うのも夢じゃないだろうな。これから、留学の機会はどんどん増えるから」

飲み慣れぬ酒の回りは速かった。トイレに立った黒田の足どりはすでに危うかったが、自分の方から盃を伏せる気配はなかった。見かねて切り上げたのは佐伯だった。

「仙台には良い思い出はないけど、きみと会えたのだけは幸せだったと思う。元気でな」

アパートの出がけに黒田はそう言い、ありがとうを連発しながら頭を下げた。

アパートの下の坂道を黒田は、操り人形のようなぎくしゃくした足どりで帰っていった。

それが黒田の姿を見た最後になった。仙台ヴァイラスも彼と共に日本から消えていた。

黒田からは何の便りもなかった。黒田の留学先とされているメリーランド州の研究所あてに、二度ほど手紙を書いたがなしのつぶてだった。そのうち黒田の噂(うわさ)も人の口にのぼらなくなってしまった。

留学先の研究所長の名で、教室に黒田の事故死が知らされたのは次の年の秋だった。車がスリップして、谷に墜落したこと自体がいかにもアメリカ的だと人は言った。佐伯には黒田がこの世から消えたとは信じられなかったが、教授は、惜しい男をなくしたと言い、他の教室員も口々にくやみを言いあった。死んだ男はもう無害なのだろう、黒田は死後になってようやく、有能だったと大っぴらに認められたのだった。

佐伯は車で墜(お)ちていく夢を何度もみてはうなされた。最初、車に乗っているのは黒田だった。カーヴの多い山道を猛スピードで疾走していく。ゆるいカーヴにさしかかったときタイヤがパンクして、ハンドルをとられる。もどそうとしても、加速度に乗って滑るだけだ。ホイルがきしみ、摩擦音が消えると同時に、衝撃が全身に加わる。ガードレールは車体を支えることができず、ぐにゃりと曲り、車は最後の一線を越える。

カタピラのように放り出された車体はゆっくりと回転しながら、宙で弧を描く。百メートル程下に谷の底がみえる。その瞬間、運転席にいるのは佐伯にかわっていた。最初の落下点が目の前に迫ってくる。佐伯は必死でもがくのだが、身体は運転席に釘づけになったままだ。第一のバウンドが来る。不思議に痛みはない。また宙に浮いて落下していく。氷が背中を突きさすような恐怖が襲う。谷底が迫ってくる。佐伯はたまらず声をあげ、自分が汗びっしょりになって寝ていたことに気づくのだった。

4

黒田の事故死が知らされて半年ばかりした頃、黒田武彦宛の封書が一通、教室に舞い込んだ。

そのことを佐伯は教授の口から聞かされた。

「黒田の兄はやはり頭の病気だったんだね。病院から彼あてに手紙が来たので開封したのだ。こちらとしても放っておけないからね。以前から彼が保護義務者になっていたらしく、その更新確認のための書類なのだが、米国で亡くなったと、私名義で返事をしておいた」

教授は書類入れから封書を出して佐伯に渡した。差出人は福岡県のＹ療養院となっている。

「兄が精神病院に居るとは、黒田が渡米する前に話していました」

「おやじ、おふくろは亡くなっているのかい」

「そのはずです。父親が大そうな飲んだくれだったことは聞いていました。アル中みたいなものだったのかも知れません」

と佐伯は言った。

「何か悲惨な一家という感じがするね」

教授は温和な顔を曇らせてそう述懐した。

「彼の性格にもそういう暗い血みたいなものが流れていたね。常人にはちょっと理解できないような心理の持主だった。ま、いまさらどうこう言っても、すべて終ったことだから、はじまらない」

教授は返事に窮している佐伯に気がついて、急に不機嫌になり、これまでというように話を切り上げた。

三十年の秋、福岡市で日本細菌学会が開かれ、教室からも十人程が出席した。佐伯も、「結核に於ける胸水の免疫学的考察」という七分間の演題を発表する機会を与えられていた。

夜になって繰り出す、博多の街の人情味と東中洲の雰囲気が、参加者たちに評判がよかった。教授も四度か五度目の訪問だといっていた。三日間の会期中、教授は毎晩のように、顔なじみの飲み屋に教室員たちをつれ回した。

学会の終了後、他の教室員が仙台に帰ったあと、佐伯は九州を二、三日旅行するという名目で居残った。黒田の兄に会おうと思っていた。その願望が死んだ黒田に対する好奇心からくるものか、残された兄に彼のことを話しておかねばならぬ世俗的な義務感からくるものかは、自分でも分らなかった。黒田の死以後、何もしなかった償いを、何かの形で埋めあわせたい気持になっていたのは確かだ。

十月の中頃だった。福岡からB市までは私鉄を使い、それから先は路面電車だった。市内電車が田舎道を走るという体のもので、戦前はレールの上を馬車が走っていた路線だと、商人風の男が説明してくれた。客は十五名くらいだったが、坂道になると、スピードががくんとおちた。三、四十分乗ったところで、遠くの空で低く唸っていた雷が、突如凄まじい音をたてた。車掌が、しばらく停車すると告げて、パンタグラフをおろしはじめた。黒紙を引きちぎったような雲のなびく下に、稲田が一面に広がり波打っている。点在する黄櫨の紅葉が不吉な色に染まっている。雷鳴がひとしきり鳴り尽すまで、乗客はそのままの姿勢で辛抱強く待った。まむかいに坐った、行商帰りらしい二人の農婦の会話は、ほとんど理解できなかった。

終点の町から更に四十分ばかりバスに乗って、Kという古めかしい山間の町に着いた。茶と木材の集散地で、豊かそうな町だった。間口の広い商店が中心部に並んでいた。

Y療養院は、町はずれに位置していた。高い塀に囲まれて、木造家屋が六棟、小学校の校舎のように並んでいる。玄関のある正面の建物だけが二階建で、前庭の植込みも厚く、旅館さながらの風格を備えていた。

玄関をはいったところに初代院長の胸像がおかれ、後の壁に「従五位に叙す」の額が見えた。待合所は二つあり、左が内科、右が精神科になっていた。その受付で名刺を出し、黒田武彦の兄に面会したい旨を告げた。

間もなく別室に通され、五分ばかり待って佐伯と同年輩の小肥りした愛想の良い医師がはいってきた。佐伯は手短かに面会の理由を述べた。黒田の兄に会うのは遠慮して貰いたいと言われれば、素直に引き退るつもりだった。間接的な知合いとは言え、つまるところは初対面の赤の他人が、面会を強要する権利などあるはずがなかった。

医師は佐伯の身分を知っているためか、丁重な応対ぶりだった。

「弟さんが、留学先で亡くなられたことは、玉木教授からの御返事で知り、私の口からありのままを患者に告げました」

と、医師は言った。

「やはり、ショックを与えたでしょうね」

「病気が病気ですから、反応はありません。心の中では煮えたぎるような思いがあるのでしょうが、外見には無反応です」

「ふつうの方でしたら、弟が大学でどんな仕事をしていたのか大変興味をもつのでしょうが——」

と、佐伯は遠回しに切り出した。「黒田は私にとっても無二の親友でしたし、兄さんに彼の元気だった頃のことを話しておきたい気がしたのです。なにしろ、黒田の死は私にも寝耳に水の事件でしたから。それとも、私が兄さんに会うのは百害あって一利なしなのでしょうか」

佐伯は考えつくままに言った。医師は一瞬考えたあと、

「よろしいと思います。ああいう患者さんは痴呆的に見えても、感性の或る部分は常人以上に細やかで優しいですからね。そこをとっかかりにして、私共もなんとか意欲

を賦活しようとしているのですが、なかなかうまくいかないのが現状です。どうぞ、話してやって下さい」

と言って立ち上がった。

医師のあとについて土間になった廊下を歩いた。塵ひとつないくらいに掃除され、踏み板は磨きぬかれて木目が浮き出ている。

「黒田は、兄さんの面会には時折来ていたのでしょうか」

「さあ、私も去年の春赴任したばかりで、実際にお会いしたことはないのですが、カルテを繰ってみますと、三、四年程前までは年に二回程みえていたようです」

と医師は答えた。

「それでは、彼が仙台に来る前ですね。東京に居た頃でしょう。他には面会者はないのですか。親類とか――」

「弟さん以外の面会者はなかったと思います」

「で、今の状態はどうなんでしょう」

佐伯は病棟にはいる前に聞いておかねばならぬと思った。

「なにがですか」

「いや、その兄さんの状態です」

「ああ」

と医師は陽気に頷いた。「なにしろ発病が二十歳頃で、もう十四、五年になりますから陳旧性の欠陥状態です」

「というと、このまま一生終るということですか」

「ええ、まあ、そういうことになります」

医師は急に透明な声色になって答えた。

大きな鉄の扉の前で立ち止まると、扉についた覗き窓の蓋をあけて中を見、鍵束のなかのひとつを穴にさしこんだ。無意識に指が鍵をまさぐるような慣れ切った手つきだった。

二つの病棟が中庭をはさんで向き合っている。寝巻や褞袍を着た患者たちがてんでんばらばらに散らばっている。庭は芝生になっていて、まん中に小さな池があり、その横に狸の置物がすえられていた。

医師は、詰所のソファーで佐伯を待たせ、通りがかりの看護士と二、三言交わしたあと、庭を大またで横切って、向い側の病棟へ向った。

池の縁を、色白の少年が下を向いてぐるぐる回っている。一メートルの高さもない低い物干し台に、年老いた患者がゆっくりした動作で襁褓のような布を干していた。

庭に面した犬走りに五、六人がかっきり三メートル間隔くらい離れてしゃがんでいる。鼻毛を指先でぬきながらへらへらと笑っている者、二、三メートル先の草をじっとみつめている者、たえず太腿（ふともも）のところを手のひらでなでている者。

向い側の病室の戸があいていて、中を見通すことができた。畳の上に八、九人の患者が無秩序に雑魚寝（ざこね）している。頭の傍に他人の足があり、顔の先に隣の男の腰があっても気にかからぬ様子だった。

女性患者が見えないのは男子病棟だからに違いない。佐伯はインターン時代一カ月だけ回った大学の精神科病棟が男女混合だったのを思い出した。

頭の中で、精神病者はいるはずがない、誰もが大なり小なり狂っているのだから、と観念的に思いながらも、実際目の前に何とも奇異な患者を見せられると、「やっぱり狂気は存在するのだ」という苦い確認が、こみあげてきたものだ。精神科のローテーションを終えても、そのみじめな思い、なんとも形状しがたい、自分自身に対する不愉快さはまといついた。

それが、細菌学教室にいる間に全く忘れ去られていたことに、今気づく。

医師が背の高い男の腕をつかんで戻ってきた。焦茶色（こげちゃいろ）のセーターに兵隊ズボンをはいた男の顔に、黒田と似通うものを見、佐伯は立ちあがった。

「こちらが、弟さんと仙台の大学で一緒に研究されていた佐伯先生だよ。どうしても、あんたに弟さんのことを話しておきたいと、わざわざ仙台からみえたんだ」

と医師は子供に言いきかすように佐伯を紹介した。

黒田の兄は、細めた目の角で、佐伯を見おろすようにしていたが、佐伯が軽く会釈すると、鷹揚に、坊主頭を前に垂らした。

身長は黒田よりは低く、やや太り肉で、浅黒い肌と整った鼻すじはまさしく黒田武彦を彷彿とさせたが、彼の持っていた知的な鋭さの代りに、不思議な困惑が表情全体を厚くおおっている。

三人は狭い面会室へ行き、佐伯は黒田の兄と真向いにならぬようにテーブルについた。医師はわざと隣のテーブルに陣取って傍観の姿勢をとった。

黒田の兄は椅子をわずかに佐伯の方に向けて坐り、じっと目を伏せている。受け入れもしない、拒絶もしない表情を前にして、佐伯は自分が何をしにきたのか一瞬とまどいを覚えた。

佐伯は思いつくまま、黒田と一緒に教室にはいったときのことから、苦労しながらの研究、米軍から認められて渡米し、事故死の通知を受けとるまでのことを、かいつまんで話した。しゃべりながら佐伯は、これまで一度も他人に黒田と自分との関係を話したことがなかった、と思い知る。自分の中にしまっておいた事柄が、黒田の兄の前で、ほぐされ、ほとばしり出る。

黒田の兄は背筋をピンと伸ばしたまま、時々まばたきをするだけだった。相槌も打たず、どんよりした光を宿す眼の奥に、感情の揺れを読みとることはできなかった。

話し終えると、佐伯は医師の方を見やった。医師は佐伯に目礼しながら、立ちあがり、黒田の兄の肩をポンと叩いて促した。

「身勝手な話だったかもしれませんが、私自身はお兄さんと会えて肩の荷をおろした感じです」

と佐伯は医師に向って言った。

「どうもすみませんでした」

と医師は受けて、突ったったままの黒田の兄にむかい、

「よかったね。先生に面会に来て貰って、ありがたいことだよ。じゃ、もう部屋に帰っていい」

医師は部屋の外に黒田の兄をおしやって、佐伯と一緒に出口の方へ行きかけた。佐伯が歩きかけたとき、突然黒田の兄が言葉を発した。

「弟が大変お世話になりました。ありがとうございました」

一本調子の、棒をたてかけるような言い方だった。表情のない眼がじっと佐伯に見入っている。佐伯は喉（のど）をつまらせ、

「弟さんに世話になったのは私の方でした。お兄さんもどうぞお元気で」

と、やっとのことで答えた。

　黒田の兄の視線を背中に感じながら、佐伯は扉の方に歩いた。医師が先走りして鍵を開けてくれた。後はふりむかなかった。医師はまた外側から鍵をかけ、閉まったかどうか確認するために、把手（とって）を押して、引いた。

「いやあ、病人もかわいいもんでしょう」

　医師は振向きざまに微笑しながら言った。

「そんなに悪いようにも見えませんが」

「ぼくも、彼があんな気のきいたことを言えるなんて、初めて知りました」

　佐伯と肩を並べながら医師は上機嫌で言う。「まだああいう、まともな感覚がまだら状に残っているということでしょうな」

「ふだんの生活も問題ないのですか」

「ええ、院内適応です。閉鎖された病棟の中で、どうにか平衡を保っていられるのです。一たん外に出すと、ぶり返します。もっとも、受入れ先の家庭がしっかりしてい

れば、外でもなんとかやっていけますが。彼の場合はその点、絶望的ですね。しかしまあ、彼にとっても、ここに居ることは幸せではないかと思います。この病院は良心的な部類にはいりますからね」

と、医師は自信たっぷりに言った。

待合所まで戻ってきたとき、佐伯は思い切ってきり出した。

「この上あつかましいことですが、できれば、黒田が学生時代を過ごした処もついでに見ておきたい気がします。病院の方でそこまで分るでしょうか」

「ええ、確かに、家族はこの町におられたはずです。分りました。ここでお待ちになっていてくれませんか。内科にこの町出身の古い看護婦がおりますから、すぐよこしましょう。せっかくここまでおいでになったのですから、思いのこすことのないようになさって下さい」

医師は屈託なく答え、一礼して去った。

佐伯は精神科の待合所の隅に坐って待った。七十くらいの白髪の老婆をつれた中年の男が二人いるだけだった。老婆をまん中にして、男たちは黙りこくっている。名前を呼ばれて、老婆を両脇からかかえあげるようにして診察室にはいっていった。一人残された佐伯が顔を入口の方に回したとき、眼鏡をかけた小柄な看護婦が目にはいった。

「佐伯先生ですね。古賀先生からお話があって、参りました。黒田さんの御家族のことをお知りになりたいとか」

「ええ、この機会にせめて親友の暮していた家でも見ておきたいと思ったものですから」

五十歳近い看護婦は深く頷いて、ソファーに坐った。学生下宿屋のおかみさんという感じの女だった。「黒田さん一家はこの町の油屋にお世話になっていたのです。母親が隣りのH村の出身でしたからね。油屋は菊竹といって、この近辺では、随一の分限者だったんですよ。ええ、屋敷だけはまだ、そのまま残っています。田畑は戦後の制度で、ほとんど小作人の手に渡ってしまいました。今は小学校の先生をされている息子さんが、こぢんまりと後を継いでおられます。黒田さん一家は屋敷内の借家に住んで、セキさんが油屋の女中をし、亭主は油づくりの工場の方で人夫みたいなことをしていたのですが、なにしろ大酒飲みで、油屋の方でも愛想つかしていたようです。引越して三年か四年目に、吐血して亡くなりましたよ。息子さんが二人いて、そら、いま入院されている市郎さんと、武彦さんです。年は五つ違いでしたが、二人とも勉強がよくできて、油屋のだんなさんのお気に入りだったのです。市郎さんが熊本の旧制中学にはいれたのも、だんなさんが学費を出してやったからです。そのあと、市郎さんは頭がおかしくなってしまったのですけどね。弟の武彦さんも市郎さん同様によくできて、やっぱり、だんなさんの援助で、中学校は熊本の方に行ったんですけどね」

と、看護婦は急に声を低めた。律儀そうな顔が佐伯をじっとみつめ、先を続けるか否か迷っているようだった。

「母親はいつ亡くなったんですか」

と佐伯は、話をそらすつもりで聞いた。

「ええ、武彦さんが熊本の学校を出られて、東京の専門学校に行かれてからです。油屋の奥様と、武彦さんの間柄が露見してしまったのです」

彼女はそこまで言うと、佐伯の驚いた顔を確かめ、満足したように先をつづけた。

「噂は町中に広まって大変なものでした。油屋のだんなさんは平然と耐えていらっしたようですけど、その奥様が剃刀で手首を切り、危篤状態で入院された日、セキさんは首をくくったのです。奥様の方は命をとりとめましたがね」

「そうですか。それで黒田はこの町に居られなくなったのですね」

「油屋のだんなさんはできた方で、自分からは決して恨みごとをいう人ではなかったのですが、やはり武彦さんの方でいたたまれなくなったのでしょう。その後、疎遠になって、東京の学校は苦学して卒業したのではないですか」

「ええ、だいぶ苦労したようです。仙台に来てからも貧乏暮しでしたからね」

という佐伯に、看護婦は深く相槌をうった。

「油屋の商売の方は、時代が時代でしょう、その後さっぱりになって、だんなさんもついこのあいだ亡くなったばかりなのですよ」

「奥さんの方は元気なのですか」

「ええ、元気にしておられます。もともと、芸者あがりですから、五十過ぎのいまでもひとが見たら振りかえるほどです。先妻の息子さん夫婦ともうまくいっているようだし、自分でも踊りの師匠をして結構な暮しのはずです」

看護婦の口ぶりから、その奥さんの評判が悪くないことがうかがわれた。

「黒田武彦は、東京にいってからも、時々、兄さんに面会に来ることがあったと聞きましたが、そのとき油屋に立ち寄ることはあったのですか」

「まさか。あれ以来、奥さんと武彦さんも昔のことは昔のことにしていたはずですよ。町で偶然出会っても他人顔だったのじゃないでしょうか。もっともわたしが見たわけではありませんが」

看護婦は分別顔で笑った。

佐伯は看護婦に礼を言い、病院を出た。

油屋の場所は聞いていたものの、そこを訪れたい気持はなくなっていた。病院のある高台から、山を背にして静まりかえっている町のたたずまいは、豊かでおだやかだった。佐伯はつまらぬことを聞いたような気がしていた。来たことを後悔しはじめていた。黒田武彦の隠された部分へ、許可もなく土足で踏みこんでしまっていた。不幸な死に方をした男の、臓腑までをもえぐり出す行為をしたことを悔やんだ。

町中の食堂で遅い中食をとり、逃げるようにバス停へむかった。

5

窓際にいた老婆は眠りから醒めて、また食べている。大きなハムを間にはさんだサンドイッチにかじりついて、口をもぐもぐさせる。

昼飯を食堂車で食べるなんて気違い沙汰ですよ、高いばかりでおいしくもない、と彼女は佐伯に話しかけた。佐伯が、食欲がないのですと答えると、彼女は突如として話を百八十度転換させた。

息子はエコール・ポリテクニックに入れて政治家にするつもりだったんですよ。そりゃ、頭の良い子でしたからね。あの嫁も嫁、女給あがりで、無知で、なにかと言えば声はりあげて泣くばかり。安アパートに住んで、家具といえば箪笥がひとつ。冷蔵庫もありゃしない。日当りは悪く、おまけに昼間は寝てばかりだから、顔色の悪いこと。洗濯しないシーツのようだよ。五年ぶりに会ったんだけど、ちっとも暮し向きは変らない。前は本屋の店員をしていました。半年ともたないんですよ、仕事が——。

老婆は、何時間か前に話したことを、またしゃべりはじめる。佐伯は、四本の指に光る宝石と、紅を塗った唇を見較べるだけで、返事をしない。

老婆は再び目を閉じ、何分か後には、寝息をたてはじめていた。

佐伯は考える。

あのとき、米軍がなぜ仙台ヴァイラスに目をつけたのか、今なら理解できた。彼らの目的ははじめから細菌兵器をつくることにあったのだ。同種の細菌や異種の細菌を融合させて、全く性質の違う細菌を作り出す。既存の抗生物質も効かず、しかも毒力は数倍も強い病原菌が実戦でどんな威力を発揮するか、米軍はすでに朝鮮戦争で経験ずみだったに違いない。

表向き、細菌兵器は国際法で禁止されている。しかし、使用を禁止することは、研究を放棄することを意味しないだろう。核兵器の開発に国家予算の何割かをさく国家が、細菌兵器の研究に鐚一文出さないことはありえない。人の目に触れず、マスコミの口にのぼらぬところで、大がかりな研究がなされているはずだ。核に関する研究が軍備競争の表舞台だとすれば、生物兵器のそれは、陰の舞台と言える。

その陰の舞台として、ピレネー山中のアンドールという小国は絶好の場所ではなかったか。研究施設を自国内に置けば、良心的な学者グループの耳目にもはいりやすいし、マスコミも容易にかぎつける。実験ミスによって市民に直接の被害の出る危険もある。アンドールに医療援助という名目で総合病院をたて、一般診療からワクチン製造という表看板を掲げながら、裏で秘かに細菌兵器のプロジェクトを進める。ありうることだった。

だが本当に黒田が細菌の融合に成功したとすれば、二つの高いハードルを越えなければならなかったはずだ。第一に細胞壁の問題。ペプチドグリカンから成る厚さ五百オングストロームの細胞壁をどうやって取り除いたのか。更に、仙台ヴァイラスで細胞の融合に成功したとしても、それが自己増殖能をもたなければ、病原体として意味をなさない。それが第二のハードル。

これらは、いかに黒田といえ、彼ひとりの力でできるはずはなかった。合衆国が世界中からかき集めた頭脳を集約させてはじめて実現可能なことだったろう。分子生物学、生化学、細菌学、ウィルス学、伝染病学、遺伝子工学の精鋭が研究の最前線に結集すれば、核兵器以上の新生物を生み出すことは不可能ではない。彼らは死の科学者なのだ。

佐伯は、「俺は人間には愛着が沸かない」と言った黒田の言葉を思いおこす。彼の心の底に絶えず火種のようにくすぶり続けていたものが、仙台ヴァイラスという油を注ぎかけられて燃えあがり、一気に死の科学への道程をのぼりつめていったのだ。

ベルナール博士が言ったように黒田の死が自殺だとすれば、怨念(おんねん)の火がすべてを焼きつくして頂上にのぼりつめたところで、黒田は自ら命を絶ったのではなかったか。人間に愛着が沸かぬほど冷えきった心が、ふと自分自身にも愛着をなくしてしまったのかも知れない。

ばらばらだった黒田の生の軌跡が、ようやく一本の線に集約されようとしていた。佐伯は暗然たる気持で冷えきったシートに身を沈めていた。

老婆が眠りながらよりかかっている窓ガラスに、愴然(そうぜん)とした自分の顔が映っていた。いつのまにか、車外は雨になっていた。

なだらかな起伏のある山肌を愛撫するように、細かい雨が降っていた。青黒い林が腫れ上がったように点在する丘陵のくぼみに、橙色の屋根を持つ集落がみえた。線路わきの枯れたとうもろこし畑で、鳩ほどの大きさの鳥が五、六羽、雨に濡れながら餌をついばんでいた。

静まりかえっていた車内が騒がしくなる。暴れ回ったあと疲れて眠っていた子供たちが、黒人青年から起こされて、荷物をまとめはじめている。

老婆が目を覚まし、車外の景色を一瞥して、あと十分ほどでトゥルーズだと言った。

「あなたはどこまで行くのです」

と老婆ははじめて佐伯に質問する。

「サンジロンの先のウストという村なんですが」

老婆は知らないという風に首をひねった。

トゥルーズには五時過ぎに着いた。

「乗換えまで時間があるなら、カスーレを食べなさい」

老婆は佐伯にそういい残してタクシーに乗り込んだ。

雨はまだ降っていた。朝パリで読んだ新聞記事はものの見事にはずれていた。佐伯は小走りに駅前のアーケードの中にかけこみ、レストランにはいった。隣のテーブルで、会社の退けた勤め人が七、八人、陽気にしゃべっていた。

注文したカスーレは三十分近くたってから運ばれてきた。発車まで二十分しか残っていなかった。出された料理は全部たいらげたいほど、口に合うものでもなかった。鳥肉をつまみぐいし、とろけた大豆を三さじばかり口に入れれば十分だった。

ポー行きのローカル線は、一車輛に数えるくらいの乗客しかいなかった。斜め前の席に坐った若い娘は脚を組み、週刊誌に見入ったまま一度も顔を上げなかった。窓際の青年は、ほとんど瞬きもせず、無表情で前方をみていた。

車外では、低い木立や小麦畑が、雨の下で黒光りしていた。時折見える人家も、古い質素な造りだった。辺境に来たという感慨が胸にこみあげてきた。

老博士から貰ったメモを手にしながら、通過駅を確認した。スピーカーから流れる「ブッサン」という駅名は、佐伯が想像していたのと違って、独特のアクセントをもつ、はじけるような鋭い声音だった。

さびれた駅だった。

駅前に土蔵のような建物が並んでいるだけで、人家は見当らない。

空地に、ライトをつけたバスが待っていた。辺地には不釣合いな、新型のバスだった。乗客は、子供連れの夫婦、中年の男三人と佐伯だけだった。

国有鉄道のマークのはいった上っぱりを着た女性が、駅から出て、最後にバスに乗り込んだ。彼女が運転手だった。乗客の切符を確かめに回ったあと、運転席にもどり、帽子をかぶってから、エンジンを入れた。

駅から少し離れると別荘風の洒落(しゃれ)た建物がいくつか目にはいった。やがて、バスは川に沿う幹線に出て、走った。

豊かな流れだった。最初の橋を渡ったとき、ガロンヌ川という標識が読めた。

ボルドーで大西洋にそそぐ川の数百キロ上流になるのだろう。

八時をまわっていた。外は、つるべおとしに暗くなっていった。バスは、対向車のめったに来ない二車線の道路のまん中を、猛スピードで走った。

丘陵が黒々と連なり、その上に紺がかった空がたれこめていた。

長い山間(やまあい)を抜け切ったとき、左前方の闇(やみ)のなかに光の塊りが見えた。スポットを浴びたようにそこだけが金色に輝いている。黒い海に浮かぶ光の島のようだった。目をこらすと光炎のなかに三つの塔がたっていた。それは闇の中で点火を待つロケットにも似ていた。塔は光錐(こうすい)のなかをいまにも飛翔(ひしょう)しようとしていた。

——フォアの城だ。

後の方で誰かが叫んだ。

実際は数キロ、いや数十キロの距離にあるに違いないが、手を伸ばせば届くような錯覚がする。角櫓（すみやぐら）をまん中にして、左に尖塔（せんとう）、右側に丸櫓が、サーチライトに照らし出されている。城以外の所は、黒一色の闇がおおっていた。

バスはその城を左手にのぞみながら走ったが、やがて再び山間にはいっていった。乗客の降車駅を暗記しているのか、運転手はひとつひとつ確かめもせず、バスストップを通過していった。

小一時間でサンジロンに着いた。佐伯は降りがけに、ウスト行きのバスがどこから出るのかを聞いた。

「この時間では、もうバスはない」

と女運転手は気の毒そうに答えた。ベルナール博士が書いてくれた最終バスは、夏場は運行中止になっているということだった。

サンジロンで一泊するよりも、今日のうちにウストまで着いておきたかった。仕方なく、タクシーを拾った。

髭面（ひげづら）のタクシーの運転手は、訛（なま）りのつよい言葉で、

「ウストは人口五百、冬の間、金のないスキー客がちらほら訪れる他は、何の変哲もない村でさあ」

と説明した。

道は舗装されていた。いくつかの村を走り抜けたが、十時だというのに、どの家も灯を消して静まりかえっていた。

「ウストですぜ」

四十分ほど乗ったあとで、運転手が言った。橋のたもとの街灯と、ホテルらしい建物だけが灯をともしていた。

「下手すると、ホテルも閉まっているかと心配したが、大丈夫、まだ起きているようです」

と笑う運転手にチップをはずんで車をおりた。

ホテルの戸を押して中にはいると、食堂兼クロークになっていて、五十近い大柄な女がカウンターのとまり木に腰をかけているのがみえた。

彼女は夜遅い客の到着にさして驚いた風でもなく、腰を浮かして、微笑した。

部屋の値段を訊くと、「どの部屋も三十フラン。朝食込みで」という答えが即座にかえってきた。

パスポートを見せ、宿帳に記入をすませると、小肥りの娘が二階に案内してくれた。

服をぬいでベッドにあおむけになる。どっと疲労がふき出してきた。そのまま眠りにおちた。

第三章　脱殻（アンコーティング）

ＤＮＡ型ウィルスの場合、ウィルスの細胞吸着、細胞内侵入の過程についての生化学的知見はほとんどない。しかし、細胞内に侵入したウィルスが、粒子内部の核酸を宿主細胞内に放出する現象は、以下の事実から確かめられた。すなわち Joklik は32p でラベルした Vaccinia virus を HeLa 細胞に感染させた後、種々の時間に細胞中の32p の存在様式を調べたところ、感染したウィルス中のＤＮＡの約半分がＤＮＡase で分解される状態になっているのを見出した。もちろんウィルス粒子中のＤＮＡはＤＮＡase で分解されないので、この成績は侵入したウィルスのＤＮＡが細胞中に放出されたため、すなわちＤＮＡの uncoating が起ったためと考えられた。

（東昇・石田名香雄「ウィルス学」）

1

カーテン越しに射し込む光のなかで目を覚ました。枕頭台に置いていた時計を手にとって読むと、六時四十分だった。

八時間近く熟睡したことになる。爽快な気分が戻っていた。

ベッドからおりて、窓の方へ寄った。中央に木製の戸があって、バルコニーに通じているらしかった。戸をむこう側へ押しあけた瞬間、冷やりとした空気が足許にしのびこんできた。

佐伯のいる部屋は、ホテルの丁度裏側に位置して、目の前には、雑木林の覆うゆるやかな傾斜の丘がいくつかの起伏を描き、丘の間を豊かな牧草を生やした平坦な草地がうねっている。

バルコニーからは、鉄の長い階段が朝露の光る芝草までおりていた。二、三十メートル離れたところに物干し場があり、あたりの草が踏みひしがれて、黒い地面が露出していた。傾いた二本の棒の間で、紐がゆるい懸垂線を描いてたれさがり、ところどころに洗濯挟みが食いついていた。

白い綿球状の花をつけた牧草の上を靄が滑走していく。白い水蒸気の帯が深呼吸をするように、次々と山頂の方へ吹きあがっていくごとに、斜面はあざやかな緑にかわっていった。

左の方には木肌の白い喬木の列が張り出していた。まばらになった葉の間にこぶし大の実がぶらさがっている。その樹木の並びが斜面の中腹で跡切れたあたりから、太い地面の襞が牧草地を水平に横切っている。山頂へ通じる道らしかった。山道の手前に、矢羽根を突き刺したようにポプラが一本ひょろりと立っていた。

遠く右側の丘は青黒い針葉樹の森がおおっていた。森は山頂に迫るにつれて疎らになり、下枝の少ない幹の間から、朝の硬質の日が漏れてくる。

この丘つづきのどこかに、黒田が葬られているのが信じられなかった。

人家のない丘の起伏をながめていると、彼が人里離れたところで、ひっそりと暮していているような気がしてくる。眼前の情景は、黒田が少年期を過ごした九州の山間の村と似通うものがあった。豊かな牧草で羊と牛を飼い、果樹を栽培する黒田の姿が、佐伯の想像のなかに、一瞬たちあらわれ、消えた。

バルコニーの下で犬が鳴きはじめた。物置小屋の傍で、昨夜佐伯を部屋に案内してくれた娘が、犬に餌をやっている。白いブラウスに赤いスカートが鮮やかだ。彼女は、かがんだ腰をおこしたとき、バルコニーの上の佐伯に気づき、よく通る声で挨拶をした。佐伯は手をあげて応じた。

部屋にはいって、水の出の余り良くないシャワーを浴びた。髭を剃り、髪を整えて、食堂へおりていく。ひどい空腹感があった。

「お早う、ムッシュウ。眠れましたか」

女主人は娘と同じことを佐伯に言った。造作の大づくりな、勝気な顔がもう昼間のように活気づいている。

「ぐっすり眠れた。静かな村だ」

と、佐伯は答える。

食堂は広く、明るかった。女主人は、パンを入れた編み籠がのっているテーブルに佐伯を坐らせた。テーブルは十箇ほどあったが、白い布がかけられているのはそこだけだった。

「泊り客は私一人なのか」

女主人がミルクとコーヒーのはいった容器を運んできたとき、佐伯は訊いた。

「もう一組、ドイツ人の家族連れがいるわ」

そう言って彼女は庭の方を指さした。丈の高いダリヤの咲き乱れた花壇の横に、その一家は居た。

両耳の上にだけ頭髪の残っている亭主は車椅子に乗っていた。金属の玉を布で丁寧に拭いてから、車を横向きにして下手投げで玉を放りなげた。玉は地面にあったもうひとつの玉に勢いよくぶつかってころがった。中学生くらいのやせた男の子が二人、喚声をあげ、地面にしゃがみこんで、金属の玉と赤い小さな玉の間に木の枝を置いて、距離を計りはじめた。大きな眼鏡をかけた細君が、上からのぞきこんでいる。

「避暑客かい」

「ええ。六年前ここに来て以来、気に入ったらしく、毎年ヴァカンスをここで過ごすのよ」

と女主人は言った。

どんぶりみたいな容器に入れて飲む牛乳は濃く、喉に流しこむとき、いかにもカロリーを摂取しているという気になった。女主人は佐伯が食べている間じゅう、カウンターごしにこちらを眺めていた。佐伯と目があうと、こころもち顎をつき出して、「おいしい?」という表情をした。

「この村の墓地にはどうやって行けばいいのだろうか」

彼女が窓際に行きかけた時、佐伯は訊いた。

「墓地」

女主人は振返って訊き返した。

「墓参りしたいのだ」

佐伯は先回りするように言った。

「墓地なら二箇所あるけど」

「二つあるのか」

佐伯の意外そうな顔をじっとみつめて、彼女は、「あなたが探しているのは、日本人の墓じゃない？」

と訊いた。佐伯はうなずく。

「やっぱりそう。お客さんはフランス語がよくできるから、ベトナム人かと思ったけど、パスポートで日本人だと分って、ピーンときたのよ。もしかしたら、あの墓と関係があるかも知れないって」

女主人の得意げな視線の下で、佐伯は、ベルナール老人がくれた地図を広げた。

「一応、道順は書いて貰ったんだが」

佐伯が言うと、女主人は上半身を曲げて、地図に見入った。

「ここが三叉路で、雑貨屋と郵便局があって、これが、橋ね。そう、この角に自動車修理屋があるから、そこをまっすぐ登っていけばいい。右手に新しい教会があるけど、その墓があるのは、この一本道をずっとたどっていった先」

女主人は上体をかがめて、指で紙の上をたどった。

佐伯の胸のうちで、黒田が生きていればというかすかな幻想が、静かに朽ち果てていく。佐伯は無言で地図をながめていた。

「この×印は」

女主人は、丘の上に刻まれた印を指さして佐伯に訊いた。

「ヴィヴ夫人の家だ」

「あなた彼女を知っているの」

驚いたのは女主人の方だった。

「いや知らない。日本人の墓の掃除をずっとやってくれている人だと聞いただけだ」

女主人は一瞬不透明な目つきをして、

「あなたはあの墓に眠っている人とどういう関係なの」

と訊いた。

「大学の研究室で一緒に仕事をした仲なんだ。米国に留学したきり音信不通になり、そこで死んだと聞かされたのが二十年ほど前だ。それ以来ずっと忘れていたら、今度、国際会議でパリに寄ったとき、彼の上司だったという老人に会い、この村に葬られているということを知らされ、びっくりして、やってきたわけ」

　佐伯が答えると、女主人は真剣な目で佐伯を凝視した。

「私は彼が米国で死んだとばかり思っていたから、半信半疑だったけど、その老人のいうことを信用することにしたんだ。しかし来てよかった」

　佐伯は同意を求めるように女主人の方を見やったが、彼女はふっと視線をそらした。なにかが彼女の警戒心を刺激したようだった。

「二、三年程前に、ベルナールというアメリカ人の老紳士がここに泊ったことはなかったか。白髪の、少し足の不自由な老人だ」

　佐伯は話の矛先を変えた。

「ええ、覚えているわ」

「彼がその友人の上司だったのだ」

　佐伯の言葉に軽くうなずいただけで、女主人は口を閉ざしたまま、カウンターの方へもどった。

　女主人の態度は硬化していた。それがどういう理由によるものか、佐伯は好奇心が頭をもたげてくるのを自制しながら、黒田の墓の位置さえ分ればいいのだと自分に言いきかせた。

食堂から自室にあがるとき、封筒を直接ヴィヴ夫人に渡すように念を押した老博士の言葉を思いだして、女主人に訊いた。

「ヴィヴ夫人のだんなは、昼間、家にいるだろうか」

「いないはずよ。昼間は山での仕事があるから」

彼女は事務的に答えたあと、何か言いかけたが、考え直したように口をつぐんだ。

2

ホテルを出ると光が眩(まぶ)しく、道も家並も白くみえた。陽光が石の角、道の表面で乱反射しているせいか、影までも薄らいでいた。

ホテルのすじ向いにある乾物屋のウィンドウが刺すような日を照り返していた。ガラス戸のむこうに、彩色された茸(きのこ)の模型が二十個ほど陳列してあった。どれが毒茸で、どれが食用になるのかを啓蒙(けいもう)するためのものらしかったが、佐伯にはみんな同じようにみえた。立ち止まってのぞきこんでいると、奥の暗がりから誰かがじっと自分をみつめているような気がして、顔をそむけた。

明るい道に人影がないかわりに、家のなかにはいつも目が光っているような村だった。雑貨屋の薄汚れたガラスに、前かがみで歩く自分の姿が映った。その虚像に重なって、店の中に女が立っていた。その中年女の目も、じっと佐伯を凝視していた。郵便局前のベンチに腰かけていた老人が、佐伯をみてベレー帽をぬぎ、なにか口ごもった。佐伯は微笑をかえしたが、あいまいな会釈になってしまった。

自動車修理屋は郵便局を通りすぎて、橋までいく途中にあった。狭い店だった。小型トラックの下から、男の足が出ていた。

そこから、馬車がやっと一台通れる程の道が山の方角に伸びていた。わだちの間に、牛の糞が半乾きのまままころがっている。

左側に農家の土塀が続き、右側の柵のむこうは果樹園になっていた。ピンポン玉くらいの赤味を帯びた実がなっていたが、林檎にしては貧弱すぎる実だった。

果樹園が跡切れたところで道は二つにわかれ、右の方の大きい道は五十メートルほど先で、教会の前庭に通じていた。村に不釣合いなモダンな教会だった。真新しいクリーム色の壁が、陽を柔らかく吸いこんでいた。

左にそのまますすんだ。道幅が狭まり、雑草が時折、靴先にからんだ。

小径（こみち）は上り勾配（こうばい）で、S字型に木立の間をぬっていた。葉間の漏れ陽が腐葉土の上でさざ波をうっている。赤土から黒い樹（き）の根が露出していた。かすかに湿った土の匂（にお）いがした。

林を出ると道は小川に沿って伸びていた。石と草にはさまれてきらきら光る流れがあった。

小川のむこう、山の急斜面にすがりつくようにして、古びた礼拝堂がたっていた。平べったい石を積み重ねて壁にし、庇（ひさし）のない屋根を貝殻に似た石でふいている。屋根の中央に一段高く、将棋の駒（こま）の形をした鐘楼がつきだしていた。四つの窓が穿（うが）たれ、それぞれに黒い吊（つ）り鐘（がね）がはめこまれていた。

礼拝堂の横にアーチがあり、粘土色の低い塀越しに傾いた十字架と、墓石の一部が見えていた。

小川にかかった木の橋が、佐伯ひとりの重みで揺れた。

墓地の入口にある鉄製のアーケードに、造花の薔薇（ばら）がからみついていた。プラスチックの花と葉が、無残に白く褪色（たいしょく）していた。

建物を取り壊したあとのような、荒れはてた墓地だった。大小さまざまの墓石が、無秩序に存在していた。草の生えた通路が、入口からコの字型に、墓地を一巡している。

佐伯は息を殺したまま、墓石のひとつひとつを、慎重に見ていった。どれも、一九四〇年以前の没年だった。

ひときわ大きい棺形をした墓は一八〇二年のものだった。砂岩の表面は既に風化し、指で押すと、落雁のように細かい砂粒がこぼれおちた。奥にとりつけてあるキリストの磔刑像だけが、陶器製で、妙な生ま生ましさを保っている。

通路に面した墓標に、黒田のものはなかった。緊張で胸がしめつけられた。

最後の角をまがって、入口近くにもどりかける。塀と反対側に、一間四方の穴が掘られていた。深さは二メートル程もあり、底は赤土だった。前日の雨水が乾ききらず、濡れて、血のような光沢をみせていた。

動くものは自分の視線だけだった。立ちつくしたまま、顔をあげひょいと前方を見た。眼が、穴のむこうにある赤っぽい墓石に釘づけになったとき、佐伯の足はひとりでに、穴の縁をまわって、墓石を囲む低い鉄柵をまたいでいた。

TAKEHIKO・KURODA

緻密な材質の石に、横文字が彫られていた。

佐伯は、一呼吸おいて、もう一度、かみしめるようによみ、更に口の中でつぶやいた。

ゆっくりと、膝が折れる。敷きつめられた砂利が靴の下できしんだ。

佐伯は頭を垂れたまま、動かなかった。

硬い日射しが、後頭部を圧しつけていた。自分の息づかいだけがきこえた。

石と土の間に生えた糸のような草が、微風に揺れた。

黒田武彦の名を刻んだ赤い墓石は、二十年の歳月を感じさせないすべやかな表面をもっていた。指を墓石の角にかけたとき、日陰になった面だけが、かすかに冷たかった。

彫られた文字が、佐伯の視野の底の方にぐんぐんおちていき、揺れた。

周囲は、すべて見捨てられたような墓ばかりだった。十字架は錆びついたまま、単なる鉄屑になってしまっている。新しい墓地に移転させたのか、墓標も何もない区画には雑草が繁っていた。

黒田が不憫でならなかった。死に場所までも孤独な影がさしている。佐伯は、照れ笑いをするときの黒田の顔を思い出し、それがなかなか脳裡から去らなかった。

遠くで銃を撃つような音がした。数秒おいて二発目が聞えた。

佐伯は頭をあげ、紙袋からのろのろと清酒の壜をとり出した。パリで苦労して探しだしたものだった。栓をあけ、酒を墓石に注いだ。満遍なくかけた。墓石は手前の方に数度傾斜し、彫られた文字のくぼみに流れた酒がたまり、あふれた分は線を引いて角を落ち、地面に吸いこまれた。

壜が空らになると、佐伯は木橋までひき返した。小川におりるとき、足をすべらしてズボンをよごした。壜に水をくみ、墓の前に置いた。紙に包んで持ってきた梅干しを壜の中におとした。紫蘇色の実はゆっくりと水の底に沈んでいく。柔らかそうな実の表面で塩の結晶が光った。佐伯の故郷の風習だった。やがて水はなくなり、実はひからびてしまうだろう。ひからびる前に、再び墓を訪れ、新しい水と取りかえるというのが昔ながらの田舎の習慣だったが、ここでは今日かぎりのものになるしかなかった。

陽が高くあがっていた。首筋や腕で、固い日射しがはじけた。石でしめつけるような奇妙な暑さだった。風がときおり通りすぎた。登ってきた道の先に林があり、ウストの村はその陰になって見えなかった。風は林から山の方角に吹きぬけていた。山の切れ目から、遠く青いピレネーの連山がのぞいていた。

たかった。見捨てられた礼拝堂。鐘楼のなかの四つの鐘。錆びた鉄のアーケードと造花の薔薇。さまざまの形をした墓石。くずれかけた木の橋と青いピレネーの遠景。風景を眺め、記憶した眼をもう一度墓石の上におとした。TAKEHIKO・KURODA――横文字は赤い石のなかで微動だにしなかった。石が朽ち果てるまでそれはありつづけるに違いなかった。ふとそれが消えることのない黒田の無念さを象徴しているように思えた。

黒田の元気だった頃の姿が一気に押しよせてきた。教室全員で行った大念寺山の苺狩り。九州で見た苺とは形が違うといいながら、蔕のついたままのものを口にほおばって機嫌がよかった。広瀬川の川原や向山へ遠足に行ったこともあった。そうした催しは興味がないと口ではいいながらも、結構参加して、はしゃいでいた。

そんなときの黒田の笑顔だけが思い出されるのが不思議だった。決して大声を出さず、ククッと押し殺すようにして笑った。

不運な奴。これが運命だと片付けても、釈然としないものがあった。

彼は、科学者として余りにも感性が鋭敏すぎたのではないか、と佐伯は思う。人間的な感情を容赦なく切りすてることによって、科学の研究が行程を伸ばすことは確かだ。黒田はそれに徹することができなかったのではないか。人間には愛着が沸かない、と豪語していたのは、人間に対する過度の愛着の裏返しであったのだ。

　佐伯は墓参りを果たしたことで、見えないところに背負っていたひとつの重い荷をおろしたような気持になっていた。

　あとは、ヴィヴ夫人に会って封筒を手渡す仕事が残っていた。当初にあった彼女に対する関心は、いつのまにか薄らいでしまっていた。ベルナール老人との約束を遂行する義務感しかなかった。

　佐伯はゆっくりと墓地を出た。

　帰るときも木の欄干は生きもののように揺れた。清流が石のあいだで、草の色と日の光を反射していた。

　自動車修理屋までひきかえした。小型トラックも、その下に大の字になっていた男の姿もなかった。

　橋を渡って右側へ折れた。

　道は舗装され、時折大型のトラックが通った。五キロほど登りつめた先にタングステンの鉱山町があると言った運転手の言葉を思い出した。

　道の片側にポプラの並木がつづいていた。樹影がアスファルトの縁に、鋸（のこぎり）の歯のようにはりついていた。

すべてのものが日を受け、影をつくるためにあるようだった。自分の身体(からだ)でさえ、日の当る側と陰になる側で二分されている気がした。片側で感情の襞(ひだ)がときほぐれて、なめし皮のようになるが、反対側では、漠然としたいらだちが気持をけばだたせた。アスファルトにうつる自分の影が、曲芸師のように鋸の歯の上を渡っていく。

チーズをつくる家が目印だった。そこから、小さな道が街道から分岐していた。佐伯はその道を、丘陵の中腹を左回りに迂回(うかい)するような恰好(かっこう)で登っていった。道のかたわらに鉄条網の切れはしと、傾いた杭(くい)の列があった。牧草地に、灌木(かんぼく)が刈り残された頭髪のように点在していた。

茶色い毛並の牛が十数頭、百メートル程離れたところで草をはんでいた。牛追いの少年が木の下に立ってこちらを見ていた。佐伯が立ち止まると、犬が一匹矢のように少年の傍に駈(か)け寄ってしゃがみこんだ。

少年も犬も佐伯の方をみつめている。佐伯が手を振る。少年は照れくさくなったのか、それには応ぜず、水平に伸びた木の枝に飛びついた。鉄棒のように身体を二、三度前後に揺すり、飛びおりざまに、犬に向って短く叫んだ。犬は再び猛然と丘を駈けおりて、群からはずれた牛に吠(ほ)えかかった。追いたてられた牛は、分っている、とでも言うように、鷹揚に巨体を動かして仲間の方に戻りはじめる。首についたカウベルの音が佐伯のいる所まで響いた。

道端に穀物を入れる小屋がつくられていた。石造りの壁の上に、急な勾配のトタン屋根がかぶせられ、降棟にあたる部分は階段状に平たい石が埋めこまれている。積雪にそなえるためだろう。

日射しの強い割に、暑さはそれほどでもなかった。微風はむしろ冷やりとした感触を首筋に残した。

途中に一軒人家があった。敷地が道より二メートルほど高くつくられているため、庭に出ていた婦人に声をかけたとき、見上げる感じになった。彼女は、ヴィヴ夫人の家と聞いて、黙って指先を道の伸びる方向に向けた。

白い壁に朱色の屋根をもつ家が、木立の間からみえていた。細い杉の丸太を使った貧弱な電柱の列が、その家のためにだけ、数百メートル続いていた。

道は狭いながらも舗装されている。道のすぐ脇から、雑草が深々と繁り、道幅を細くしていた。草の上に、金魚草に似た花が三十センチ程つき出ていた。

古い石造りの建物と、比較的新しい別荘風の家が、菜園の奥に並んで建っていた。垣根は、無雑作に杭がうたれているだけのものだった。郵便受けの上の表札に、アラン・ヴィヴという名が読めた。

菜園にはさまれた路地をはいって行った。人の気配はなかった。思い切って玄関のベルを押した。家の中からはベルの音は聞えてこなかった。二度、三度と繰返したが、同じことだった。張りつめていた気持が行き場を失ってしぼんでくる。

玄関からおりて、もう一度家の周囲を見回した。菜園の中を突っ切っていけば、石造りの納屋をまわって、裏庭の方に出られそうだった。

家畜の臭いがした。農機具を入れた薄暗い小屋の奥から、番犬が飛び出てこないかと気になった。

主屋の裏側は、まばらな果樹園になっていた。青い林檎の実が鈴なりになっている。煉瓦色の屋根が大きく張り出した下は、土間になっていた。端にロッキングチェアが二つ、外に向けて並置されている。

佐伯はおずおずと声をかけて、土間のなかにはいった。奥に台所が見えた。白地に紺の縞がはいったタイル張りが、清潔な感じを与えた。焜炉の上で大きな鍋が煮たって、香ばしい匂いがしていた。流し台の脇の棚に花瓶があり、鶏頭の花が無雑作に投げこまれている。

佐伯は家の内にむかってもう一度声をかけた。反応はなかった。更にもう一回やっても同じことだった。それ以上家の中に踏みこむことには抵抗があった。

諦めて振向きかけたとき、突然背後から声をあびせかけられた。

小柄な女が困惑した顔で立っていた。白いスカーフ風の日よけ帽の下で、見開かれた眼が光っている。胸の広くあいたブラウスに、裾の長いスカートをはいて大きな前掛けをしていた。

「マダム・ヴィヴでしょうか」

佐伯の問いに、女は短く肯定した。

「失礼しました。呼び鈴を押しても返事がないし、どうしても今日中にお会いしておく必要があったものですから」

佐伯は緑色がかった相手の眼をまっすぐ見すえて詫びた。彼女はちょっと首をかしげるようなしぐさをしたが、端正な顔からは何の表情の変化も読みとれなかった。

「私は日本から来た佐伯という者です」

佐伯はどう切り出していいか整理のつかぬまま、しゃべりはじめる。「パリで会議があり、そこで全く偶然に、ベルナール博士と出会い、あなたにこれを渡してくれと頼まれたものですから」

佐伯はアタッシェケースをあけて、封筒をとり出そうとした。

「お帰り下さい」

そのとき意外な言葉が佐伯の耳を打った。喉（のど）の底からしぼり出した声音だった。

佐伯はあっけにとられて夫人を見返した。

彼女の唇がふるえている。血の気のひいた顔に、緑がかった眼だけが透きとおるようだった。

「帰って下さい。わたくしはそういう方を存じあげておりません」

「しかし」

言いかけた佐伯を押しのけて、夫人は家の中にはいろうとした。

「ヴィヴ夫人、待って下さい。きっと何かの誤解です」

佐伯は叫んだ。「私は黒田武彦の友人なのです。彼とは大学で机を並べて研究した間柄です。その彼の墓がこの村にあると、ベルナール博士に聞かされてやってきました」

佐伯は夢中で言葉を探し、つなぎあわせた。ヴィヴ夫人は一瞬立ちどまって、もう一度、佐伯の方を一瞥（べつ）した。佐伯はこの機をのがすべきでないと思い、

「さきほど、黒田の墓参りをすませました。長いあいだ、ほんとうによく世話をして

くださったと、感謝の念でいっぱいです」

佐伯は必死で食いさがる。

「せっかくですが、あなたは何か勘違いをなさっているようです。ベルナールという方は知りません」

夫人は落着いた口調をとりもどしていた。

「お墓と私とは何の関係もありません。どうぞ、お帰りになって下さい。まもなく、主人が帰ってきて、面倒なことになっては、困るのはあなたの方でしょうから」

そう言い残して、夫人は家の中に消えた。

佐伯は混乱してしまった頭をつなぎあわせるため、しばらく立ちつくしていた。沸きあがってくる屈辱感を抑えるのが精いっぱいだった。

3

頭の中がからっぽだった。それまで一応納得していた事柄が根こそぎ吹き払われ、振出しに戻った感じがしていた。

遠くで羊の鳴く声を聴いたように思った。風が出ていた。草が波打っていた。雲が一面空をおおいつつあった。

どのくらいの速度で山道を下ったのか、佐伯は覚えていない。アスファルトの本道に出たとき、ようやく自分をとりもどしていた。ゆるい坂道をぎくしゃくした足どりで歩いていた。耳の底に、帰ってくれと言ったヴィヴ夫人の声がしつこく残っていた。十五名程の若い男女のサイクリングの一団が、猛スピードで佐伯を追い越して行った。ショートパンツの下の長い脚はペダルの上で静止したまま、車輪だけが回っていた。最後尾の青年は、ハンドルから手を放し、腕組みをしたまま疾走していった。彼らが消えた方向から、バスがゆっくり登ってくるのが見えた。ブッサンからサンジロンまで乗ったモダンなバスとは違って、前部のつき出たボンネット式の車体だった。

手をあげると、バスは佐伯のすぐ横で停車した。無意識の行為だった。

「鉱山町へ行くのか」

と佐伯が訊くと、運転手は乗れというような仕草をした。

十人たらずの乗客がいて、佐伯が座席につくのを、一番前に坐っていた中年女がわざわざ振返ってみつめた。

左右の山がせばまり、人家が跡絶えた。道は蛇行しながら高度をあげていた。山肌は下の方だけ樹木におおわれ、陽の翳(かげ)ったもとで、陰気な輪郭を際(きわ)だたせていた。

バスはノンストップで走った。前方に湖水が開け、崖(がけ)っぷちの道路を数百メートルたどった。湖の色は濃紺に近い。左に折れたとき、山に囲まれた砦(とりで)のような町がみえた。背後の山が大きくえぐりとられた場所に、無数の煙突と、大蛇のようにうねったパイプのからまる工場が群がっていた。

タングステンの町は、壁と穴からできていた。灰褐色の建物に窓は少なく、狭い道をはさんで、家が折り重なっていた。道で出会うのは浅黒く陽焼けした男たちばかりだった。女子供の姿が見当らない。穴蔵に似たカフェレストランにはいった。非番らしい男たちが五、六人トランプに興じていた。眼が鋭く、シャツからはみ出た腕はたくましかった。

隅の席に坐って、ワインと肉料理を注文した。

ヴィヴ夫人が受け取らなかった封筒が、ズボンのポケットに入ったままだった。中味が気になった。ヴィヴ夫人に会えなかったら、日本に帰ってから封筒を開けるように言った老博士のことを思った。

佐伯は封筒をとり出し、無雑作に端を破った。ウストで開けるのも、仙台で開けるのも同じことだと思った。いつまでも中ぶらりんの状態におかれているのが耐えがたかった。

封筒の中には小切手がはいっていた。他に何もない。老博士はモンパルナス大通りで佐伯と別れるとき、連絡先は封筒の中に書いてあると、言ったはずだった。入れるのを忘れたのか、あるいははじめから故意にしたことなのか。

フランス銀行の十万フランの額面が、事務的に記入されているのみだ。

ベルナール博士が、単に、墓守りのお礼として送るにしては、多すぎる額だった。佐伯はすべてを放り出したい気持になっていた。老博士が語ってくれたことの大筋は理解できていたが、細部にこだわると、なにがなんだか分らなくなってしまう。黒田の墓前で瞑目(めいもく)して鎮(しず)んだ気持はけしとんでいた。

値段の割には上等でないワインを飲んで、分厚いステーキを腹におしこんだ。二時過ぎだった。客たちは一向にトランプを止(や)める気配はなかった。

ヴィヴ夫人がベルナール老人を知らぬと言ったのは嘘(うそ)だろう。一瞬見せた狼狽(ろうばい)ぶりがそれを証明していた。彼女はただ彼を恐れているのか、毛嫌いしているかなのだ。封筒を夫人に直接手渡すように注意した老博士の言葉が気になった。それは亭主に知れたらまずいことを意味するのだろうか。とすれば、彼女は、大手を振って黒田の墓の世話をできる立場にはいないことになる。いったい彼女は何者なのか。

老博士とヴィヴ夫人が、黒田を媒介にしてつながりを持っていることは確からしいが、老博士が彼女によせる好意は、一方的に夫人によって拒絶されていた。

佐伯の推測は、それ以上つき進むことはできなかった。肝腎なところが、空白となって残るだけだ。

しかし、黒田の墓にめぐりあえたことだけは疑いようのない事実だった。旅行の目的ははじめから、墓参りだったのだ、と佐伯は自分に言いきかせた。封筒のことも、ヴィヴ夫人のことも余興にすぎないではないか。

明朝、もう一度黒田の墓に参り、その足でウストを発とう、と佐伯は思う。宙に浮いた恰好になった小切手は、仙台に帰ってから、合衆国の陸軍微生物研究所あてに送り返せばいいだろう。

レストランを出たのは三時だった。バス停まで戻ると、サンジロン行きは出たばかりだった。次のバスまで五十分近く待たねばならなかった。

佐伯は歩いてみる気になっていた。五、六キロの道のりなら、歩いた方がましだった。無性に身体を動かしていたかった。

道はずっと下り坂になっていた。湖水に沿う道路は風が冷たく、シャツ一枚では鳥肌が立った。発電用の人造湖らしく、湖面に、枯れた針葉樹の先端がいくつも突き出ていた。

幾重にも重なった山際の一番奥には、薄く雪をまぶしたピレネーの山系がみえていた。

何台かのトラックが途中、佐伯を追いこしていった。

ウストに帰ったのは五時近くになっていた。川むこうの広場で、少年達がバレーボールをしていた。一軒しかない肉屋に主婦がたむろしていた。

　雑貨屋の隣にある小さな新聞屋で、聞いたこともない地方紙を一フランで買った。

第一面に狩猟解禁の記事がみえた。

ホテルに戻って、食堂にはいった。喉(のど)がからからになっていた。

「鉱山町に行っていたのでしょう」

女主人が愛想のいい顔で声をかけた。

「どうしてわかる」

「あなたが鉱山行きのバスに乗りこむのを見た人がいたのよ」

彼女はいたずらっぽく笑った。

「油断のならない村だ」

佐伯は大げさに肩をすくめてみせる。

「墓は見つかったの」

「ああ、なんとか見つけることができた」

佐伯は感情の起伏をおさえつけるようにして答えた。

「どんな気持だった？」

女主人はじっと佐伯の表情を見守りながら訊く。

「諦めがついた。彼が死んだということがなかなか信じられなかったのが、墓の前に立ってようやく実感となった」

「仲の良かった友達なの」

「三年くらいの短いつきあいだったけど、心に残るやつだった。彼が居なくなったときが私の青春の終りだったのだと、今にして分る。生きていれば、どんなにか力強い友人だったか知れない」

佐伯はしみじみとした調子で述懐する。女主人は黙って大きな相槌を打った。

「ヴィヴ夫人はどうして彼の墓のめんどうをみてくれたのだろうか。二十年間も」

佐伯は冷たいシトロンを喉に流しこんだあと、溜息をつくようにして訊いた。

「昔の恋人の墓ですもの。世話をしていけないことはないわ」

カウンターの中で、彼女は胸をはるようにして答えた。

「恋人？　黒田のか。じゃ今の亭主は」

「もちろんそのあと結婚したのよ」

佐伯の予想に反して、女主人はいくらでも話してやるといわんばかりの顔をした。今朝の態度とは打ってかわった率直さが、何に由来するものか佐伯には分らなかった。

「結婚後も、以前の恋人の墓をかまってやることに、だんなさんは文句をいわないの。そのあたりが立派なのよ。アランは」

と彼女は言った。

「黒田が死んだのは、この村でなのかい」

「ここから五十キロばかり離れた山中でらしいわ。わたしとジゼル・ヴィヴとは、リセのときまで友達だったけど、その後、彼女はトゥルーズで看護婦になって、アンドールの病院に勤めていたの。そこで、あの日本人と恋仲になったみたい。わたしもその頃ウストに居なかったから、確かなことは分らないけど」

「しかし恋仲になった男がなんで自殺を」

「自殺？　まさか」

女主人は言下に否定した。「自殺した人間だったらあの墓地に葬るのは拒否されたはずよ。ジゼル自身の話だと、山の中で誰かに殺されたらしいわ。でも、当時錯乱状態だったらしいから、本当のことは分らない」

「死体を検証すればすむことだろうに」

「遺体は、村人たちの捜索にもかかわらず、発見できなかったのよ」

「じゃ、あの黒田の墓は、形だけのものか」

佐伯の意外そうな顔をみて、女主人はうなずいた。「事件のあと、ジゼルはしばらく家に引きこもっていたけど、養父母が牧師に相談してあの墓を作ってやったらしいわ。霊を慰めるためにね。どうにか元気を取戻したあと、サンジロンの病院に勤めはじめたのだけど、そのときもうお腹(なか)の中にあの日本人の子供を宿していたの」

女主人の口から漏れた言葉に、佐伯は息を呑(の)んだ。「生れたのがクレールなの。養父母の喜びは大変なものだったわ。おばあちゃんはどこへいくにも乳母車に赤ん坊を乗せて歩き回るし、クロード爺(じい)さんも仕事そっちのけだった。鉄砲打ちの名人だったけど、猟銃を赤ん坊に持ちかえたと村人が笑うくらい、つきっきりだったから。ジゼルは産後の肥立ちがすむとまた、サンジロンの病院に戻って働きはじめたの。もともとクロード爺さんの家は畑も少ないし、裕福ではないし。――彼女が結婚したのは一年くらいしてからだったわ。相手はサンジロンで知り合ったという、ベトナム人の血が混じった三十歳を越した青年だった。いくら子持ちとはいえ、ちゃんとしたふつうのフランス人を選べばいいのに、よほど東洋の血が好きなんだろうと、陰口をたたく者もいたけど、わたしがみるかぎり、アランは実直そうな、ジゼルの養父母とうまく折り合っていけるような男性だったのよ。もともとの商売は何か知らないけど、実際、小まめに働く人よ。ジゼルは結婚後も病院に勤め、畑仕事は彼と老夫婦がやっていて、そのうち、山を買い取り、牧草を植えて牛を飼いはじめたの。連れ子のクレールも実の子のように可愛がっていたわ。五年目にクロード爺さんは肺炎をこじらせてなくなったけど、良い娘婿に恵まれて幸せな晩年だったと思う。ジゼルは病院をやめて、果樹と牧畜に専念しはじめ、やがてベアトリスとガブリエルが生れ、お婆さんは十年前、八十歳でなくなったわ。ほら、あなたが今朝飲んだ牛乳は、ジゼルの家でとれたものなのよ」

　女主人は言った。

　佐伯は深い嘆息をした。事情が呑みこめたような気がした。ベルナール老人が直接ジゼルに会うように言ったのも、現在の夫の立場を慮ってのことだろう。いくら妻の昔の恋人、クレールの父親の墓の存在を黙認しているとは言え、佐伯があからさまに顔をみせたのでは、せっかく築きあげた家庭に水をさすことになる。ジゼルの頑ななまでの拒絶も防衛反応のあらわれだととれないこともない。

「黒田に娘が居るとは知らなかった」

佐伯は感慨深い面持ちで言った。

「いま、フォアの大学で勉強しているわ。リセを終えるとすぐ家を出て、自活しながら大学に通っている。活発なとてもいい娘」

女主人は自分の娘のことのように誇らしげに言った。

「でも、あなたが墓参りに来て、黒田という人、喜んだに違いないわ。異国の地に、それもこんな片田舎に二十年も葬られて、どんなに寂しかったかしれない」

「私もそう思ってね。ベルナール博士から聞いたとたん、いてもたってもいられなくなってパリを飛び出してきたんだ。ヴィヴ夫人には見事に肘鉄を食わせられたがね」

そのとき、中庭に車がはいりこんで来て、ドイツ人一家が下りてきた。車椅子を夫人が押して、テラスからそのまま食堂の中にはいってくる。子供たちの顔が陽に焼けてピンク色だった。女主人が佐伯を二人に紹介してくれた。夫人の方が滑らかなフランス語を話せた。

「サンリジエまで行って、子供たちをカヤックに乗せました。指導員の技術がうまくて、明日はもう川下りをしていいのですって」

「奥さんも乗られるのですか」

佐伯が訊く。

「いいえ。橋の上で待ち伏せして、子供たちが下ってくるところを写真に撮るつもりです」

亭主は微笑しながら、小さくうなずいていた。

佐伯が部屋に戻りかけたとき、女主人が呼びとめた。

「すっかり忘れていたけど、さっきジゼルが来て、これを置いていったわ。あなたに渡してくれと」

女主人の素振りには、故意にそのことを忘れたふりをしていた様子がうかがわれた。

カウンターの下から、おもむろに、大判のノートをとり出す。青い表紙の古びたものだった。

「さあ、シャワーでも浴びて、さっぱりしてから、おりていらっしゃいな。今夜はごちそうだから」

佐伯は追い立てられるようにして、二階にあがった。

閉めきっていたバルコニーへ通じる戸を、開け放って、椅子をそこに持っていった。

ノートの表紙をめくると、小型の便箋(びんせん)がはさまれていた。二枚の裏表に、まるっこい細かい文字が書きつけられていた。

佐伯はその手紙を、もつれた糸をほどくような気持で読んだ。

サエキ様

さきほどの御無礼をお許し下さい。

とはいえ、タケヒコのため、こんな山奥まで来ていただいた優しいお気持を台なしにしてしまった罪が許されるものでないことは承知しております。

あなた様の口から、ベルナールという名を聞いたとき、わたくしは正気を失ってしまったようです。

わたくしがその名前を心から憎む理由はいずれ、お話し申し上げる機会が訪れるでしょうし、ここでは詳しく語る気力もございません。

あのとき、わたくしからひどい言葉を投げつけられて、あなた様は、非常に驚かれ、実に悲しそうな顔をなさいました。

それは、わたくしにとっても意外なことだったのです。

もしやと思い、あなた様が帰って行かれる御様子を、門の陰から見送ったのです。

本当に寂しげな後ろ姿でございました。わたくしは、ふとこれは演技ではないのかも知れない、ベルナールの回し者ではなく、本当にタケヒコの友人だったのかも知れない、と考えました。

しかし一方で、やはりこれも仕組まれた芝居にすぎないのだという疑問が、執拗にたちのぼってくるのです。わたくしはどうしていいか分らぬまま、何時間か家の中で考えあぐねておりました。

ユゲットから電話がかかってきたのはそのあとでした。あなた様がお泊りになっておられる宿屋の女主人です。

チーズ屋の爺さんが宿屋に来て、「沈痛な顔をした東洋人が、山の方から降りてきて、鉱山行きのバスに乗った」と話していたけど、何かあったのかとわたくしに尋ねるのです。

ありのままを彼女に言うと、宿屋でのあなた様のことをいろいろ語ってくれました。

彼女の説明を聞くにつれて、やっぱり自分が間違っていたことを思い知らされました。

どうか罪深いわたくしの行為を、お許し下さい。

地下のタケヒコも、二十年ぶりになつかしいお友達に会えて、どんなにか喜んでいることでしょう。涙ぐんでいる姿が目に浮かんできます。

ふりかえってみますと、この二十年は、古い思い出を断ち切ろうとする気持と、それにあらがう心の間を終始行ったり来たりしていたような気がいたします。一時は、新しい生活にとりくむため、あの墓をなくしてしまおうかと考えたこともありますが、礼拝堂のそばまでくると、自分がとても大きな罪を犯しているような気がして、そのたびに思いとどまりました。いったい、タケヒコはわたくしから見捨てられて、どこに行く場所があるのでしょう。そんな思いで、月に一度は墓を清め、話しかけて参ったのです。そして今日、あなた様に来ていただいて、その甲斐（かい）があったという思いが致します。

タケヒコは生前、日本のことについてはほとんど語りませんでした。ひたすら、故国を忘れようと努めているようでしたが、それはかえって、心のそこに芽吹いてくる望郷の思いの裏がえしであったような気がするのです。彼のように、ひび割れた心を鉛の容器で覆（おお）おうとしている人間には、よくありがちなことだと思うのです。

ここにお渡しするノートは、タケヒコが生前所有していたものでございます。彼は全くの筆不精でしたから、これはたぶん、実験の下書きに類するものにすぎないかと思います。後半分はあなた様のお国の言葉で書かれているようですから、わたくしには内容を知るよしもありません。よろしければ、お手元におかれて、日本に帰られてからも、タケヒコを偲ぶよすがにでもしていただけたらと存じます。

明朝は、タケヒコの墓の前で、今日の出来事を一部始終報告するつもりでおります。わたくしの失敗を知って、相変らず疑い深い女だと、苦笑するに違いありません。

サエキ様は、いつお発ちになるのでしょうか。忙しい日程をぬって、ウストへおいでになられたのでしょうから、寸時の余裕もないことは承知しております。

それでも、もし出発まで時間がおありでしたら、明朝、墓地までお越し願えたら、と勝手なことを考えたりも致します。

一応、ここでは、お別れの言葉を申し上げておきます。

ジゼル・ヴィヴ

佐伯は、細かい鎖を連ねたような女文字から、目を上げた。

古いノートが膝の上にのっていた。

五十頁はあるＡ４判の大型のもので、表紙の角は青の染料が剝げ、無数の皺が白い地と共にきざまれていた。パリ・ジベール社製という文字がかろうじて読める。

ささくれた黄ばんだ頁をめくると、第二頁から、スケッチ、化学式、数式や構造式、装置の見取り図などが、雑然と書きつめられていた。説明はすべて英語であり、書き損じた箇所は線で消し、その上に更に書込みが加わる。一見して、それが実験用のフローチャートに相当するものだと判断できた。後半の三十頁ほどは、日本文だった。五ミリ四方の碁盤目の罫線(けいせん)に、マッチの軸頭ほどの細やかさで、縦書きされている。

仙台時代、黒田の論文や借用証で見た、特徴のある筆跡を、佐伯はまぎれもなくそこに見出(みいだ)していた。

第四章　転写（トランスクリプション）

ＤＮＡウィルスの大半は核内で増殖し、その過程は細胞のＲＮＡポリメレースに依存している。例外的に細胞質内で増殖する痘瘡ウィルスは、自ら自己転写酵素を持つ。いずれの場合も、転写は未知の次の機構によって制御されている。「前期」遺伝子は親ＤＮＡの一分画であり、ＤＮＡ複製を抑えるサイトシンアラビノシドの存在下に、転写される。「後期」遺伝子は、ＤＮＡが複製開始されたあとはじめて転写速度が急上昇する。

(F. Fenner et al. : Medical Virology)

〈黒田のノートより〉

午後四時、七階の会議室でこれを書いている。左隣にいるNがちらりとノートをのぞきこんだが、日本語が解るはずはない。ザマミロと腹の中で舌を出してやった。いつも感じることだが、ここはまるで水槽だ。三方が総ガラス張りのせいで、雲ひとつない空が海水にみえる。これで縞模様の鳥がスイスイ泳いでいれば申し分ない。ふと立ちあがって窓ぎわに行き、薄く雪をかぶったピレネーがみたくなる。円形のテーブルには各班からひとりずつ九名坐っている。青ガラスのため白衣までが青く染まってみえる。エイブがプリントを配り、所長がしゃべりはじめる。陸軍衛生局からのM号報告というやつで、相も変らず、数字の羅列。上水道の濃度〇・〇〇五PPMで発症三七人。発症率〇・四%……。

〈この結果は一応満足すべきもの。濃度を一桁上げておれば、町全体がパニックに陥っていたろう。抗生物質テトラミドの予防的投与も有効なことが確認されている〉所長は鷲鼻をギュウとまげて所員の一人一人を見まわす。得意なときの癖だ。

次が空気伝染に関する調査。統計屋十八番のグラフがぎっしりならぶ。内務省のエアーコンディションの中に、TNM菌を一千万単位入れたのが七月十日。一週間後には、肺炎症状で省内の診療所を訪れる患者が急増している。ピークは十日から二週間後。ここでも特効薬テトラミドの効果は歴然としている。投薬組からは一人をのぞいて全く発病なし。そのひとりは、後の調査で薬をこっそり捨てていたことが判って、とんだお笑い草だ。

〈一日十人もの患者を出しながら、省内では質の悪い風邪が流行しているという噂がたっただけだ。誰ひとり怪しむものがいない。もっとも、菌の濃度が高くて、テトラミドによる治療をしていなければ患者のことごとくが死亡して、大騒ぎになったろうがね〉所長はそう言って、矢継早に別の資料にうつる。こちらはトンネル内での飛散実験だ。ニューヨークの地下鉄に、一週間七億単位のTNM菌をばらまくとどうなるか。〈それによる患者分布はこのとおりだ〉と所長は市街地図をテーブルに広げる。黒の点がひしめきあっている。〈点一個が一人の発病者を示す。点は勤務先と住居の両方についている。大都市における伝染ルートを知る貴重なデータだ。だがこれは、予想に反して被害が大きすぎた。十二名の死亡を出している〉

〈死者が出たんですね〉Ｎが間のびした声で質問する。

〈そう。残念ながら合衆国の市民に犠牲者がでた。おそらく直接の死因というよりも、心臓病かなにかの基礎疾患があって、相乗効果をしたのだろう〉所長は咳をひとつして神妙な顔でこたえる。おかしな言い草だ。ＴＮＭ菌が直接の死因でなくてなんだろう。実験班の連中が地下鉄のなかでの仕事に精を出していなければ、いかに心臓病みとはいえ、当分は死なずにすんだのだから。

〈しかし、またしても誰ひとり不審がらない。この分でいけば、仮りに一日百人死んでも新聞種にならないだろう。ニューヨーク市全体を総合視できる医者がいないからだ〉と所長は言って、自分で暗幕をおろしはじめる。誰かが気をきかして部屋のスイッチを切る。Ｌがスクリーンをおろした。

なつかしい水田風景だ。記憶のすみにある九州の農村にそっくりだ。豊かな水。稲の苗が水面の上にわずかに顔を出している。しかし日本のように横縦整然とならぶのではなく、野放図に植えられている。奇妙にも農民の姿が見えない。そういえば、苗の束だけが放りだされたまま、手がつけられていない田がある。畦道に迷彩服を着た兵隊が三人立っている。足許に、シャツ一枚の男がからだを弓なりに曲げて倒れている。兵隊の皮靴が腹に、腰に食いこむたびに、男は芋虫のように身をよじる。頬のこけた、典型的な東洋の青年の顔だ。兵のひとりが銃をかまえる。銃身は斜め下に地面を向いている。ところが男は、銃身の延長線と地面の中間に横倒しになっているという訳だ。銃が発弾の反動でわずかに揺れたとき、男のからだはゴムまりがはずむようにピョコンピョコンと上下した。まるで、銃と男の背中が見えない糸でつながれているみたいに連動した。そのあとは完全に動かない。三人の兵隊はカメラにむかって笑顔のVサインをおくる。口にはチューインガム。

カメラは水田をぬけて村に近づく。村はもぬけの空（か）らではなかった。小屋の藁（わら）くずを払いのけた下から、あおむけに寝た人間がでてくる。くぼんだ眼がギョロリと、とり囲んだ兵隊を見回しているが、息をするたびに皮だけになった喉（のど）が軟骨にはりつく。極限までにやせた身体（からだ）。膝（ひざ）だけが竹の節のように大きい。同じような病人がどの民家からもみつかる。ぼろ布のなか、床下、押入れの奥からひき出されてくる。冬眠を中断されたヒキガエルさながらに、骨と皮だけのからだを気だるそうに動かしている。二カ月ほど前に見た隔離病棟の患者もそうだった。骨肉腫（こつにくしゅ）で治る見込みのない青年に、実験的にTNM菌を経口投与したものだった。初発は肺炎で、つづいて高熱、頭痛、不眠と痙攣（けいれん）、最後に呼吸筋の麻痺（まひ）をきたしたことを、担当の医師が説明してくれた。たるんだ皮膚は日にさらされたビニールなみだ。からだを海老（えび）のようにまげて、チューブのはいった口から絶えずアーッアーッという叫び声がもれていた。〈こんな状態にならなくても、戦意喪失するだけで十分なのだ〉と防菌マスクの下で所長が言った。〈この症例では下地に悪性腫瘍(しゅよう)がありますから、そのためのダメージも加わっています〉と、デザイン班のPが眉(まゆ)ひとつ動かさないで答える。そして死の膜をかぶせるように、骨と皮のからだの上から毛布をかけてやる。〈今からテトラミドを投与しても救命できませんか〉とエイブが聞いたのはそのときだ。〈数週間の延命効果は望めますが、今回はそうした予定は組んでおりません〉とPが答えた。担当医が青年の頭を天井にむけなおして指でまぶたを押しあげる。白眼がまっかに充血していた。ひとみに光がない。しかしわずかに意識がもどったのか、六人の白衣の男たちを必死に網膜にとらえようとした。とはいえ眼玉は外眼筋麻痺のために動かすことはできない。天井をむいたまま、二、三度軽く頭を振るだけだ。所長は病人の喉もとにかぶせたガーゼを示して、〈気管切開か〉ときいた。〈粘稠(ねんちゅう)な痰(たん)がたまるので、吸引のためです〉と医者が答える。たいした芸当だった。死神をわざと感染させておきながら、気管切開までして命をのばしてやっているとは。

　ここでは医学がひっくりかえっている。病気を癒(いや)すのが世間でいう医学だとすれば、ぼくを含めてここにいる人間は病気を後押しするための医学をめざしている。まさに逆立ちした科学。しかしこの逆立ちは不自由さを意味しない。それどころか、世間でいうまっとうな科学よりはよほど、シンプルでリアルなものだ。考えてみればいい。病原体に本来そなわっている毒力を増強する作業と、それを食いとめる作業と、どちらが容易か。逆立ちした科学は坂をころがってくる石に加速をつけるだけですむのに、まっとうな科学は突進してくる石の前にたちはだかって停止させなければならないのだ。

〈我々の工作員がこの村の井戸にＴＮＭ菌を混入させたあとの状況だ。村民の三分の一近くが死亡したと言うが、政府軍が侵攻してくるという情報で生き残った連中は山の中に逃げこんだらしい。しかし病人を運び出す暇はなかったとみえる。一時的に隠しておくつもりだったのだろう。こうしてたった試験管一本の菌が数トンの火薬に匹敵する威力を発揮するのだ〉フォートデトリックから送られてきたフィルムを、所長はそう言ってしめくくった。そのあと例によって、各班の実験報告。Ａがエアロゾールの実験成果を説明する。菌の増殖に最適の湿度を保つ空気の塵（ちり）をつくるのが彼のテーマだ。国防省のオフィスに撒布（さんぷ）したエアロゾールは、確かに色も臭（にお）いも刺激もなかった。職員の誰ひとりエアーコンディションに混じった塵に気づかなかったほどだ。しかし、その中に浮遊させたＴＮＭ菌の生存期間は三十六時間が限度だった。〈せめて、三日間は菌を生かせる環境をつくりださねば、野外戦には使えない〉と所長が注文を出す。〈現状では、菌の濃度と温度との相関が十分つかめていないのです〉とAは弁明した。Tが手をあげて立ちあがる。エアロゾール以外の媒体、木の葉、羽毛、紙などと菌の親和性について語る。腐敗した木の葉に塗布されたTNM菌は、二〇度Cで一週間は生き続けるらしかった。競馬の馬券を加工すれば二日ほど菌をもたすこともできるという。所長は満足げに頷いていた。その直後に立ったエイブは〈細胞壁の融解実験に関しては何ひとつ報告することはありません。全く進捗なしです〉と答えた。あざやかな肩すかしに所長は渋い顔をした。まもなくぼくの番がまわってくる。

無制限の金と完璧な設備のもとで、思う存分のことを研究する。衣食住の心配もなく、ひたすら己れの知的能力の限界にいどみつづける。ある者は細胞壁の融解と再成、ある者は異種細胞の融合、ある者はサイトカラシンによる細胞の脱核、そしてエアロゾール、媒介動物の飼育、特効薬の製造、という具合に。ぼくたちを封じこめているのは社会とか思想とかではなく、一日二十四時間という物理的制約と、知性という生理的限界のふたつだけのようにみえる。

午後五時、雨が激しい。窓の外は日が沈んだように薄暗く、山はみえない。Lがコラムクロマトグラフィの結果がうまくないのを、雨のせいにしてぶつくさ言っている。一週間前に出たデータをどうしても再現できなくていらだっているのだ。検査室にはいってくるものにだれかれとなく愚痴をこぼす。こういう陰気な日は、正確な数値を要する作業はやらぬことだ。のんびりと腰をすえて顕微鏡をのぞくに限る。位相差顕微鏡の緑の視野の中で、紡錘形をしたＴＮＭ菌の集落が眠ったように動かず、培地から養分を吸いとっている。まさに燃料を補給中の軍艦の群という感じがする。これがいったん生体のなかにはいると、一週間を経ずして猛撃を開始し、骨と皮の人間をつくりあげるとは、容易には信じ難い。顕微鏡室から出るのと入れ違いにＰがはいってきた。所長が呼んでいるよ、と言ったが、無視した。そのままエレベーターで地下のウィルス培養室に降りた。正面の扉をあけて更衣室で防菌衣をはおって、十号室のボタンを押す。二重ドアの内側からなま温かい空気がふくれ出てくる。ワインの酒蔵同様にウィルスの培養壜が壁を埋めている。そのひとつひとつ、胎児の肺の組織片を器官培養したカレル壜のなかに、仙台ヴァイラスの浮遊液を慎重にたらしていく。新しい餌に食いつくウィルスたちのざわめきがきこえるようだ。これまで仙台ヴァイラスを植えつぐ作業を何千回繰り返したことだろう。一年前に、培養基を受精鶏卵から胎児の肺にかえて、ウィルスの融合能力が急に大きくなった。もともと肺組織に親和性を持っていたウィルスだからなのかも知れない。初代ウィルスを仙台で分離したときと比較すれば、一万倍以上の効力を持っているだろう。ひと月おきにフォートデトリックから送られてくる死産児や人工流産児の肺をきざみ、生体培養してウィルスの餌にする。これがぼくの飼育人としての仕事だ。所長がはいってくる。〈Pから伝言は聞かなかったのか〉ぼくは黙って培養液をデカントし続けた。〈エイブのことだが〉と所長はきりだす。〈最近の彼の仕事ぶりをどう思うかね〉さあ、とぼくは首をひねる。エイブのことなら、父親であるあなたの方が知っているのじゃありませんか、と胸のうちで呟いてみる。実際、エイブはこの所長の作品であるといって良かった。ひとり息子に英才教育をほどこし、マサチューセッツ工科大で細胞工学を専攻させ、弱冠二十五歳で博士号を取らせ、この研究所のプロジェクトチームに加えたのだから。だが、仏作って魂入れずのたとえに似て、エイブの心だけは思う通りにつくりあげることはできなかったのだ。考え方も感じ方も、これが親子かと思うほど対極に位置している。〈エイブがどうかしたのですか〉〈最近、彼は仕事をしていないのではなかろうか。今日もずっと自分の部屋にこもったままだった〉〈部屋で文献でも読んでいるのでしょう〉〈そうじゃない。窓の外をぼんやり眺めているだけなのだ〉どうしてそれが所長にわかるのですか、とぼくはびっくりして聞き返した。〈所長はエイブの部屋を四六時中監視しているのですか〉〈いや、偶然部屋にはいったところがそうだったのだ〉と彼は少しばかり狼狽する。〈仕事のことで考えごとでもあるのでしょう〉〈私はそうは思わない。あれは仕事をしている眼ではない。いいかね。窓ぎわに一日中突っ立っていて欲しいために、合衆国は年間五百万ドルも出しているのではない。国はきみらの能力に投資している。私たちが要求したことに対して合衆国がノーと言ったことがあるか。きみらの一挙一動を国は評価し、しかるべき対価を払っている。私は所員たちに一瞬たりともそれを忘れないで欲しいだけなのだ〉ぼくは答えない。〈とにかく、エイブの様子に何かかかわったことがあったら、私に知らせてくれたまえ〉所長はそう言い捨てて部屋を出ていった。

培養液を移しかえるこの動作が何ドルに相当するのだろうと、ふと思ってみる。

夜研究所を出て宿舎にもどる途中、前の方からふらふら歩いてくる男がいた。酔漢がどこへ行くのだろうと眺めていると、足を一瞬奇妙な形にもつれさせたあと前のめりに倒れた。駈け寄ると、背中のシャツがまっ赤だった。喧嘩でもしたらしく、右肩から斜め下に線状の傷口がぱっくり口をあけている。とっさにその傷口にハンカチをつめこんだが、噴出してくる血液で吹きあげられそうになる。呼吸のたびにそこから空気が音をたてて漏れ出し、泡がたつ。ちょうど通りかかった婦人に急を告げ、病院に医者を呼びにかけもどってもらう。担架がくるまでの数分、ぼくは他になすすべも知らず、見知らぬ男の背中を必死でおさえ込むだけだった。噴き出る血の勢いが次第に弱まっていくのがわかった。担架で男が連れ去られるのを見届け、血でどろどろになった指を伸ばそうとしたが、曲ったまましびれてしまっていた。部屋に戻って汚れた服をぬぎ、手を洗いながら、自分のした行為について考えていた。あの男の命を助けようと本能的にしたことなのか、あるいは、単に血液が背中からふき出るという異常事態が気に入らなかっただけなのか。まさか後者ではないだろう。すると実に奇妙なことだ。片方でひとひとり助けようとして、他方で何百万の命を絶つ仕事を、ぼくはやっている。

逆立ちした科学に奉仕する研究者のタイプは二つに分けることができる。ひとつは国家への忠誠。「敵」から自分の妻、子供、親、そして知人を守るために、自分の仕事はあるのだと考える。所長がその典型だろう。だが、「敵」とは何か、己れの家族の延長がそのまま「国家」に行きつくのか、という問題は等閑視している。いまひとつのタイプは、知的ロボットともいうべきものだ。何故山に登るかと聞かれる山男が、そこに山があるからと答えるように、知的ロボットは、そこに未知の自然現象があるからだと答えるだろう。知的好奇心さえ満たされれば、世界がどうなってしまおうと構わない。雨が降ろうと風が吹こうと、今日一日試験管さえ握っておれば楽しいというその日暮しの論理が彼らの頭を支配している。この種の代表が、フォートデトリック研究所で出会った日本人学者だ。ぼくより一世代前の細菌学者で、大戦中は関東軍七三一細菌部隊として勇名をはせた連中だそうだ。敗戦と同時に戦犯になったとき、合衆国が秘かに身柄を引き受け、自国へ連れ去った。彼らが今やっている研究は、戦前、戦中と毫も変っていない。ただ、頭の中にはためいているものが、日章旗から星条旗にすげかわったにすぎないのだ。

この第一のタイプと第二のタイプの人間とを組み合わせ、多額の金を基剤としてねりあげた産物が、逆立ちした科学のプロジェクトチームなのだ。練り上げる動力となるのは、無論、国家の見えざる手に違いないのだが、ふだんは露ほどの姿も見せない。だが、設計された道程からほんの一歩でも踏みだすと、冷たい鉄の爪が彼をすくい上げ、焼却炉へと放り込む。かくして、昨日まで、一緒に仕事をしていた同僚がある日忽然と姿を消し、それっきりになる例はあとを絶たない。反逆罪、機密漏洩の罪状がつけられたのだと判明するのは、二週間程して、交代の研究者が赴任するときである。だから、いったんこのプロジェクトのルートに乗せられたが最後、自らの意志でおりることはできない。死と引換えなのだ。だが一方、ルートの上で走り続ければ、生活は保障され、老後は国家奉仕者としての最上級の待遇を約束されている。

他人事のようにしてかく言う自分は何なのか。第一のタイプでもない。しいていえば第二のタイプだろう。見えない国家の手が建てた、逆立ちした科学のユートピアに巣食う蛆虫がぼくなのだ。腐るほどある養分。ここでは不足ということがない。あるとすれば、一日二十四時間という物理的時間の不足（サイエンスに限られているものはお金ではなく時間である、というのが所長の口癖だ）と、知的能力の不足（これだって誰もが自覚しているとは限らない）ぐらいなものだろう。

東京での下積み時代や仙台での研究生活とは段違いだ。年中故障ばかりしてサンプルが台無しになってしまう恒温槽、回転数に斑のある遠心分離器、いちいち教授に使用許可を貰い一カ月も待ってようやく使わせてもらう電子顕微鏡、そして何よりも、生活費が不足していた。仕送りがあるやつはいい。助手以上になって人並の給料を貰うやつはいい。仕送りのない平の研究員は、実験用の鼠の餌代を捻出するために、おのれの食費を切りつめなければならない。知的能力以前の問題で、仕事に差が出てしまう仕組みになっていた。

だが、そのときぼくは科学の蛆虫ではなかった。薄暗い、戸もろくろく閉まらないがらくた置場の研究室で、確かに蛆虫のように生きていたのかもしれないが、頭の芯まで蛆虫にはなりきっていなかった。何よりも実験が好きだった。バクテリアが見え、ウィルスの声が聞えていた。他の教室員が帰ってしまって沈となった研究室にひとり居残り、ウィルスの言葉に耳をかたむけ、実験に没頭していると何もかも忘れることができた。あの日々にぼくの青春と、真の意味でのサイエンスがあったと思う。

ウィルスもバクテリアも、それ自体は、ニュートラルな興味の対象でしかない。山と同様、究めつくすことに快感がある存在だろう。まっとうな科学も、逆立ちした科学もそれは同じことだ。

それでは、研究者を、逆立ちした科学に向う者と、まっとうな科学を目ざす者に振り分けるものは一体何なのか。実は、何もない。未知のものを究めること自体が快楽としてひとり歩きしはじめると、まっとうな科学も、いつのまにか逆立ちしてしまう。ぼくたちがやっていることは確かに、逆立ちした科学だ。だが、もっと恐しいのは、まっとうだと思いこみ、また人からもそう信じられ、その実、逆立ちしている科学ではないのか。

朝、実験室に行くと、珍しくエイブが来ていた。後から声をかけても気づかずに、窓の外を向いたままだ。所長の話のせいもあって、ちょっと奇異な感じがした。窓ぎわに並んで立つと、驚いたように、やあきみか、と言った。右眼の視力が極端に悪いために、正視するとき頭を傾ける癖がある。いくつもの重なった丘のむこうに、つり鐘を伏せた形のモンセギュールの山塊がみえる。頂上の城砦(じょうさい)がちょうど小さすぎる王冠をかぶったようなかっこうをしている。〈タケヒコはモンセギュールに登ったことはあるのか〉とエイブがきいた。ないと答えると、〈明日、行ってみないか、所長の許可は俺がとる〉〈ワイフと子供を一足先に帰国させて、少々気分がめいっているのと違うか〉とぼくは言った。彼自身、一カ月の休暇をとるまであと十日くらいしかない。〈仕事の方も仕上げておく必要があるだろう〉と続けると、エイブは皮肉たっぷりに聞き返した。〈タケヒコ、きみと一緒に働いてもう何年になる〉〈フォートデトリック時代からだから四年かな〉〈面白かったか〉〈なにが〉〈仕事がさ〉〈まあな〉ぼくはことばをにごすしかない。〈そうだろうな。俺の眼からみると、きみは水を得た魚(ポワッソン・ダン・ロー)のようだった〉と彼はフランス語をまじえて言った。〈日本からやってきたはじめの頃は、酸欠の淡水魚みたいに窒息寸前の顔をしていた。こんな風に〉彼は口をすぼめてアップアップしてみせる。〈よしてくれ〉ぼくは言う。

山登りのことは一応OKしてやると、エイブは出ていったが、水を得た魚(ポワッソン・ダン・ロー)と言った彼のことばが気になって仕方がない。自分ではそんな風に一度も考えたことはなかったからだ。エイブの目にそう映っていたとは。確かにここは仙台と違って、明日の食費のことを考えなくていい。教授の鼻息を気にしながらチョロチョロと立ち回る必要もない。一人二十本という試験管の割当てもない。それが酸欠の魚を蘇生させた水の正体だといえないこともない。

　あの頃、五十二キロだった体重がいまは六十五キロになっている。かさかさだった皮膚も、ひとなみに艶がでているのかもしれない。髪にはちゃんと櫛の目が通り、七三に分けている。素肌の上からじかに着ているシャツも洗濯したての上質のものだ。

　とすれば、水を得た魚と言う評は正解だろう。だが水を得た代償として何を売り渡してしまったのだろう。

　モンセギュールへ行く。所長は二人一緒に外出することに難色を示していたが、結局はエイブの異常な熱意に折れたようだ。エイブは上機嫌だった。彼が鼻唄まじりで運転するジープは、山塊の下の〈火刑台地〉と呼ばれる高台まで登った。モンセギュールはそこから急角度で、そびえている。ジープをおりて、石がごろごろしている急な道を這うようにして登った。いくつもの横穴があった。エイブの説明によると埋葬のあとだという。城砦の住人にとっては死体を焼く薪も貴重品だったから、土葬しかなかったのだ。彼の受け売りをすれば、モンセギュールは、十三世紀にキリスト教徒によって迫害されたカタールの最後の砦だ。カタールは、ゾロアスター教の流れをくむ宗派カタリスムの信者たちのことである。彼らが、中東から北アフリカ、スペインを渡ってピレネー、南仏までじわじわと勢力を広めていったのも、その徹底的な現世否定と来世願望の思想が、キリスト教領主の重税と、教会の堕落に幻滅した農民層に大きな希望を与えたからだという。禁欲的で清廉なカタールの修道僧の生き方も、純朴な農民の共感を呼ぶ。十二世紀には南仏からスペインにかけて、その勢力はカトリックをしのぐほどにもなっていた。ローマ法皇は武力による殲滅を企て、檄を飛ばして十字軍を結成する。フォアの領主が総大将となって、カタリスム信仰者を片はしから投獄しはじめる。各地でカタールが反乱の狼煙をあげたが、ことごとくつぶされて後退をつづけ、ついにモンセギュールに追いこまれたときには五百人だった。

二時間ほどで頂上に着いた。エイブはシャツをぬぎ、上半身はだかになっていた。城壁は四メートルの高さがあり、表面はすでに風化しかかっていた。ひとひとりやっとはいれるくらいの入口から、城壁の内部にはいると、中はがらんどうだった。東西に三十メートル、南北十五メートルくらいの、いびつな形をした、天井のない箱だと思えばいい。

東の隅に本丸らしい残骸がのこっていて、その壁には、矢を射るための小孔が、いくつもうがたれている。エイブは城壁の内側にきざみつけられている石段をのぼりはじめた。ぼくもあとにつづく。昇りきったところは城壁の一番厚い部分で、二メートルはある。へっぴり腰で身を乗り出して下をのぞくと、目をさえぎるものもなく、数十メートル下の岩場をみることができた。城壁は山塊の垂直の壁とひと続きの面になっているのだ。屏風状にきりたった絶壁は根元のところで数個の切れ込みをみせている。その下からようやくなだらかな丘陵が広がり、丘の裾野にまっすぐな道と、村落が見えた。ぼくは急に寒気がし、這いつくばるように、へなへなと坐りこむ。エイブは髪を風になびかせて立ったまま、指揮官のように説明し出す。

〈十字軍は穿城鎚で南側の城壁を砕こうとしたが成功しなかった。壁が強靭すぎたのだ。次に巨大な投石器をもち出したが、これは却って相手に武器を供給する破目になった。そこで仕方なく兵糧攻めに切り換えたのだ。ひと月もすれば陥るとふんだのだが、先に食糧が足りなくなったのは大軍隊の十字軍の方だったのさ。籠城したカタールは夜の間にこの絶壁をくだって、信者の農民から食い物を受けとって城に舞いもどった。しかし、どうも、秘密のぬけ穴があったらしいね〉エイブはそう言って、絶壁の下をのぞいた。〈結局、勝負は何で決まったのだい〉ぼくは這いつくばったまま聞く。〈松明作戦だよ。城壁の外にでっかい松明発射台をつくって、火玉を投げ入れた。カタールの方は火を消そうにも水がなかった。あの隅にある塔が雨水を貯める水槽の跡だけど、飲料水にもことかいているくらいだったから、燃えさかる火の手をどうすることもできなかった〉〈じゃ、最後は、城門をあけて、外の軍隊に突撃だな〉ぼくはバランスをくずさぬよう用心深く、城壁の上にあぐらをかく。〈そのまま焼け死んださ。悪あがきはしなかった。カタリスムはもともと、現世は仮りの世、サタンの支配する世界に過ぎないという考えだからな。いったんあきらめると死を甘受した。丸焼けになった死体は、あの台地まで運びおろされ、みせしめのため、もう一度十字架にかけられた。それがあの火刑台地という名の由来さ〉エイブの指し示す方向に青々とした草地がみえる。この城砦のある山塊だけが、大地から異物のように突き出し、周囲には肥沃そうな台地が裾野を広げている。

エイブはいつのまにか城壁の上を歩きはじめていた。城壁を一周するつもりだろうか。幅が二メートルもあるのは、ぼくがへばりついている北側の壁だけで、他は七十センチくらいの幅しかない。しかもところどころで崩壊しかかっているのだ。その上をエイブは畦道を渡るような無頓着さで歩いていく。ぼくがふと視線を本丸の方にはずしたとき、城壁の上からエイブの姿が消えていた。息をとめてじっとみつめていると、崩れた壁の一段低くなった陰から、エイブの頭が出てきて、続いて背中がたち現われたのだった。

所長がまた、エイブが居なくなったと血まなこになっている。昨夜無断で外出したまま帰っていないらしい。妙な予感がして、エイブから貰った万年筆のことを所長に言おうかと思ってやめた。モンセギュールの帰り、ジープの中で彼がくれたものだ。買ったばかりのパーカーだった。どうして呉(く)れるのかときくと、古い万年筆が気に入っていたのだが、女房がプレゼントしてくれたのだと言う。気がひけたが、受け取ってくれといってきかない。仕方なく、貰った。所長がうろたえる姿をみせるのは、ぼくの前だけで、他の職員の前では、平静を装(よそお)っているというのも妙なことだ。

エイブがくれたパーカーで、エイブが死んだことをここに記す。モンセギュールの断崖(だんがい)の下に倒れているのを牧童が見つけ、持物から身許(みもと)が割れたのだ。所長をのぞいて、今のところだれもがさして驚いた様子はしていない。LもMもふだんよりはいくらか血の気のない顔をして黙々と仕事をつづけている。内心は動揺を抑えることで精いっぱいなのだ。水をいっぱい張った鉢を持って歩いているようなもので、大きい身振りをすればこぼれてしまう。所長がエイブの遺体を解剖に出したときいて、むらむらと腹がたってきた。自ら死んだものを（そう、ぼくはとっさに自殺だときめこんでいた）なぜそっと葬（ほうむ）ってやれないのか。所長に抗議するつもりで病院に向った。エイブのためにしてやれることが、そのくらいしか残っていないことが情けなかった。体当りするように病理部の扉をおしやったとたん、鉄錆（てつさび）のような臭気をかいだ。解剖台に横たわった男の腹部に執刀者が手をつっこんでいるのがみえた。見学席にいた所長がぼくを一瞥（べつ）したが、何事もないように視線をそらした。ぼくは気勢をそがれて、音をたてぬようにして所長の斜め後の席に坐る。エイブの顔は眠っているように静かだった。耳から出た血がなにか赤いひものように見えた。足が、曲ってはならない方向にまがっていた。

〈薬物は飲んでいないようです。消化器に特に変化はありません〉と、剔出（てきしゅつ）した臓器を調べていた別の医官が言った。〈死んだのは朝方と考えていいね〉と所長がきいた。ぼくはそのときなぜ所長がエイブを解剖に出したのかのみこめた。死亡時刻、死因、他殺か自殺か、果ては、この死体が替玉ではないのかを調べあげるためなのだ。息子の死に対して、かくも冷静でいられる神経。薄気味悪さを感じながら、所長の丸い背中を見やった。執刀医が血糊で固まっているエイブの頭髪を刈り落としている。出血痕が頭皮をはいでいくにつれて明らかになっていく。鋏のはいった頭蓋骨を完全に開けるのに手間どった。金鋸が動くたびに、エイブの頭はいやいやをするように揺れた。硬膜を鋏で切り開いていくとまっ赤になった脳がでてきた。医官は慣れた手つきで脳幹を切り、とり出した脳を左手にのせてながめる。それを助手に渡して、空らっぽになった頭蓋の底をのぞきこむ。〈墜落による頭部挫傷、頭蓋内出血より他に死因は考えられません〉所長は黙ってうなずいて席を立った。脳のない頭をつけたエイブのでっぷり太った身体が台の上にあおむけになっている。めくり下げられた頭皮が、河童の頭髪のように、顔のまわりにたれさがっていた。所長は剖検室の出口のところに立ってぼくを待っていた。〈残念なことです〉というぼくの悔みの言葉には答えず、〈エイブの部屋から、実験報告書がみつかった〉と低い声で言った。〈そうですか〉とぼくはできるだけ素気なく答えた。〈封筒の宛名は、アメリカ合衆国となっていた〉〈中味は白紙ですか〉ぼくが言うと、所長が驚いた顔でこちらを見た。〈どうして〉〈いや、なんとなくそんな気がしただけです〉ぼくは口ごもった。〈エイブは、とっくに仕事を終えていたようだ。きみが報告書を読めば一目瞭然だが、これで枯草菌とペスト菌の融合は可能になったと私は思う。アウトラインだけを言えば、細胞壁の生合成過程をバシトラシンで阻害し、ポリミキシン処理をしてリン脂質の二重層をとりのぞくという方法だ。あとはきみが、仙台ヴァイラスを使っていかに効率よく異種細胞を融合させるかにかかっている。とにかく、あとで私の部屋に来てくれ。エイブの最後の論文を渡すから〉所長はそう言って足早やに行きかけたが、途中でふり返った。〈それから、エイブの後任は二週間後に到着する。プリンストンで講師をしていた男だ〉歯車は何事もなかったように回りはじめた。恐しいまでの計算されたスピードで。

ドライアイスをつめた寝棺のなかのエイブは見事に整復されていた。茶色の縮れ毛は鬘（かつら）に違いないが、そうはみえない。両耳から顎（あご）にかけての梳（す）かれた鬚（ひげ）、角ばった顎、高い鼻、ギリシャ彫刻を思わせる顔が蘇（よみがえ）っている。デンバーに帰っている妻と息子がどんな顔をしてこのエイブと対面するだろう。所長は交通事故として処理したが、それは遺族にとっても所長自身にとっても好都合なことなのだ。エイブの身体を包んでいる白い布をみていると、先月の元気な彼の姿が思いうかんだ。病院の設立記念日のときだ。研究所と病院あげての仮装舞踏会に、ぼくは熟考のすえ、背中にクッションを入れ、厚紙でこしらえた出っ歯を口にくわえ、黒い帽子と黒マントを着た。背を曲げて、手を前に垂らして歩くとやんやの喝采（かっさい）が飛んだ。そのあとしばらくカジモドという綽名（あだな）がついたくらいだ。エイブは一番最後に現われた。でっぷりしたからだに白いシーツを巻きつけ、素足に編みあげのサンダルでしずしずと階段をおりてきた。踊りをやめて全員がふり返った。シーザー、と歓声があがった。シーザーは微笑しながらゆっくりと上体をかがめた。そのとき所長だけが顔をそむけたのをぼくは見た。ユダヤの血を引くエイブが、よりによってローマ人の仮装をしたことが所長は不満だったらしい。だが、あれはエイブの父親に対する抵抗のあらわれだったと思う。

エイブはぼくに、万年筆と、水を得た魚ということばを残していなくなった。彼が言いたかったのは、お前は汚い水を得てよみがえった、ということだったろう。所長がみせてくれたエイブの報告書は完璧なものだった。指示通りの細胞壁の処理をすれば、枯草菌とイエルシニア・ペスティスの融合は九分九厘実現するだろう。それはTNM菌とは比べものにならぬ毒力を持ち、しかも既存の薬物が全く効かない新しい病原体の出現を意味する。その報告書を読みながら、ぼくは目の前に不気味に光る短刀をつきつけられる思いがした。細胞壁の問題は解決した、あとはお前が仙台ヴァイラスを使って凶器を鋳造するだけだ。――エイブはそう絶叫しながらモンセギュールの絶壁をおちていったのだ。ぼくは人類が初めて手にしうる未曾有の凶器を何処にむけるつもりだろう。世界に対してか、自分に対してか。

夕食に出た、うすくドレッシングされた洗いたての青菜をかむと、土の香が口から鼻へぬけた。〈これは何だい〉と、テーブルに同席していたNにきく。〈名前は知らんが、パセリの一種には違いない〉Nはフォークの先の野菜をながめすかして首をひねった。ぼくはそのとき、遠い過去に同じような質問をした記憶につきあたっていた。突然露出した記憶は十七、八年以上も前のものだった。佐賀を夜逃げして、黒木町の油屋の借家に住んでいた頃だ。おふくろは昼間は油屋の女中みたいなことをし、夜は束子(たわし)づくりの内職をしていた。おやじは相変らず酒と縁が切れず、酒くさい息をいつも吐きながら、油屋の工場の人夫などに時たま雇われていた。気むずかしい兄がまだ元気にしていた頃だ。晩飯時、飲みに出たまま帰ってこないおやじをのぞく三人が、黙々と箸(はし)を動かしている。ぼくは、椀(わん)の中の汁に食べなれないものがはいっているのに気づいて、〈これは何ね〉ときき、〈三ツ葉芹(ぜり)たい。トシオちゃんとこからもろた〉とおふくろが答える。

トシオはぼくより二つか三つ年下だったろうが、ぼくの数少ない忠実な部下の一人だった。トシオの父親は片足が不自由で、警察署内の床屋に勤め、母親は小ざっぱりした垢抜(あかぬ)けした女で、亭主には似つかわしくないところがあった。ぼくの借家とトシオの借家は三間ばかりの長い廊下でつながり、廊下の中央に共同で使う便所があった。

朝、あわててトイレにはいって用足しをすましたあと、紙がないのに気づいて、ぎょっとしたことを思い出す。何度も叫んでみるのだが、家の方からはウンともスンとも返事はない。きこえているはずなのに、無視されているのだ。ぼくは尻(しり)をむき出しのまま廊下を渡って新聞紙をとりにいくほど、自尊心は失ってはいなかったし、バラバラな家族への抗議のためにも、紙持ってきて、と叫ぶしかなかった。そのうちだんだん涙が出てくる。子供が声を嗄(か)らして頼んでも知らん顔している、そんな血の通わぬ家庭が悲しかった。頬から顎をつたったしずくが便壺(べんつぼ)の中に落ちていくのを眺めて、嗚咽(おえつ)した。すると、誰か廊下を歩いてくる音がして、戸の外で、〈タケちゃん、ここに置いとくよ〉とトシオの声がした。ぼくは返事もせず、息を殺して、足音が遠ざかるのを確かめてから、戸口をそっとあけて紙を取った。

〈三ツ葉は畑に植えてあるとね〉ぼくがきくと、〈馬鹿(ばか)、こげなもんば畑に植える阿呆がおるか〉兄が横から口を出す。〈茶碗屋(ちゃわんや)の藪(やぶ)の根にいっぱい生えとるげな〉とおふくろが言う。〈誰も取らんとじゃか〉〈誰が取るか。都会のもんなら珍しがろばってん〉と兄が口をとがらす。〈そうね、福島の八百屋で見たことはある〉〈やっぱしこれと同じもんばや〉〈これより少しは小さかったけど、野生の三ツ葉芹やった。ほうれん草のごと束にしてあってね〉〈ひと束いくらぐらい〉ぼくはきく。〈さあ、一把(わ)が五銭か六銭やったろか。こんなもんば、わざわざ金出して買う人間がおるとやけね〉とおふくろが答える。次の土曜日、学校から帰ると、トシオを連れて、町の北はずれにある茶碗屋の屋敷跡に行った。ところどころに直径一メートルはある礎石が残り、手入れされない庭木は伸び放題だった。湧水を利用した井戸はまだ涸れないで、縁から絶えず水が溢れている。南側は細長い池に接し、竹藪と椎の林が東北側を囲っていた。ぼくらにとっては、池で鮒を釣り、椎の実を拾い、竹の子を掘り、チャンバラごっこもできる天然の遊園地だったのだ。池の端に生える柳の枝の手ごろなのを引き裂くと、中に白いカミキリ虫の幼虫がいて、醤油に付焼きして食べた。甘辛い香ばしい味は忘れ難い。適当に反った柳の枝はチャンバラの刀になり、斬ったり斬られたりして暴れまわり、喉が乾くと、湧き井戸に顔をざぶんと漬けて、水を飲んだ。だが、三ツ葉芹のことは気づいたこともなかった。

　それは、おふくろが言ったとおり、竹藪の陰の日当りの悪い場所に密生していた。〈あった、あった〉ぼくとトシオは、古銭のはいった壺でも見つけたように胸をときめかす。三ツ葉の株をかき分けると、強烈な匂いが顔をつつみこんだ。茎の根元をつかんで、思い切り引きぬくと、スポッと黒い土がめくれ、一株まるごとすっぽぬける。〈葉っぱは傷つけんようにしろよ。見かけが悪いと売れんから〉ぼくはトシオに向って先輩面をするが、彼は百も承知だったろう。無花果を出荷する油屋の主人について、何度も福島の市場に行ったことがあったのだから、商売にかけてはぼくより年季がはいっていた。引き抜いた三ツ葉芹は古井戸から溢れる水で洗った。黒土がおちると、糸毬のようにからみあった白い根があらわれる。〈根はやっぱり切っとかにゃいかんね〉ぼくは、手慣れた風に根先を揃えているトシオにきく。〈うん、小刀がないけ、指で切ろ〉トシオは親指と人差指の爪で根を断ち切りはじめる。ぼくもそれにならったが、じきに、指先が三ツ葉の汁で黒く染まった。

根切りが終ったのは陽がだいぶ傾いてからだ。竹藪がざわつきはじめ、椎の葉っぱがちらちらする。雲がみるみるふくらみ、黒さを増し空を埋めつくしたとき、雨がぱらつき出した。砂のような雨粒が、分厚い芭蕉の葉にぶち当たって音をたてた。〈おい、早くやってしまおう〉と、ぼくは空を仰いで顔をしかめる。〈タケちゃん、濡れるのが厭なら帰ってよか。あとは、ぼくがやっとくけん〉と、トシオは雨くらいなんだとでもいいたげだった。〈よかよか、濡れてもよか〉ぼくは気圧されて覚悟をきめる。〈そんなら、藁ば取ってくるね〉トシオはそう言い残して、池のむこうの田の方へ駈け出した。小さな身体が、池の面すれすれにかかった丸太を渡るとき、ピチャピチャと波紋が広がった。トシオは、田んぼの中の藁積から、ひとかかえだけぬきとって戻ってくる。〈一把をどのくらいの大きさにしようか〉〈こんなもんじゃろ〉とぼくは八百屋で見たほうれん草の束の太さに、三ツ葉の株を四、五本まとめてみる。〈どうせなら大きか方が売れる〉トシオはもっと大きな束をつくる。七株を一把にすることにしたが、ずしりと持ち甲斐のある重さになった。〈トシオ、このことは誰にも言っちゃいかんぞ〉ぼくは念をおす。〈これだけ、三ツ葉芹が生えとるけ、あと五、六回は市場にもっていけるぞ〉〈うん。いくらで売れるじゃろか〉トシオは顔についた雨の粒を手の甲でぬぐった。〈いくらかな〉ぼくは、一把を一銭か二銭に見込んだ。〈金がはいったら、帰りに映画ばみろ〉〈うわあああ、映画ね〉トシオが喜ぶ。細かい雨が白く煙るむこうで竹藪が風に揺れている。〈あしたは、雨は降らんめね〉ぼくは正直なところ、雨の中をぼろ自転車に乗って十キロも離れた福島の町まで行く気はしなかった。〈雨が降ってもよか。水気があって三ツ葉がしおれん〉トシオは平気な顔でいう。濡れたシャツが身体に密着して冷たかった。池の面にびっしり雨脚が立っている。〈タケちゃん、全部で三十四把ある〉〈三十四か、あと一把作っとこ〉ぼくは、不良品として捨てた株の中から比較的ましなのを寄せ集めて、最後の一束をこしらえた。出来あがった三ツ葉芹を、大きな礎石の横に置いて、上から芭蕉の葉をかぶせて隠し、雨の中を走って帰った。

翌朝、雨は夜のうちに上がっていたが、霧が深かった。ぼくは物置から取り出した林檎箱をかついで、茶碗屋の跡地に行った。蜘蛛の巣が太くなっていてよたよたと今にも切れそうだった。自転車に乗ったトシオは先に着いていた。石の上に腰かけ、ぼくをみてニッと笑った。霧が音もなく池の面に吸いこまれていた。三ツ葉芹を箱につめると、三分の二ほどの深さになった。トシオの家のぼろ自転車にぼくが乗った。白い霧の壁をつき破る気持でペダルを踏んだ。サドルに腰かけると、足が届かないので、腰を浮かしたまま、尻を左右に振ってペダルをこぐ。シャツが霧を吸いとってしとしとになっていくのがわかった。荷台で林檎箱がかたかた音をたてた。トシオは草履をぺたぺた鳴らしながら自転車の後を走った。

途中で二度休み、市場には六時前についたが、がらんとしていた。三輪車から野菜のつまった籠をおろしているおっさんにきくと、競売が始まるのは七時頃だという。〈早く着いたけん、良か場所がとれる〉と、トシオは気にもしていない。市場は果物類と野菜で二棟に分れていた。二人で林檎箱をかかえて置く場所を物色した。〈奥の方が良か。せりは入口から順にはじまるけ、この前のときは、奥に近づくにつれてだんだん値が上がった〉とトシオは言い、隅の方に新聞を広げはじめる。すぐ近くに、隠元豆をリヤカーからおろしている女がいて、〈あんたたちは何ば出しに来たとね〉

と声をかけた。〈三ツ葉芹〉〈へへえ、珍しかね。いい値がつくかも知れん。あんたの家で作りよらっしゃると〉ぼくは、首を振って、〈藪に生えとった〉と答える。〈ああ、栽培もんじゃないとね〉姉さんかぶりをした手ぬぐいの下の茶色い顔が、さげすむように歪んだ。トシオは知らぬ顔をして、広げた新聞紙の上に、三ツ葉芹の束を並べた。重なり具合を気にして、何度か置きなおしてみる。三十五把はちょうど新聞紙一枚分の広さになった。

映画館は市場から歩いて三、四分のところにあった。せりが始まるまでの時間を、兵隊や活劇の写真を眺めて過ごした。〈タケちゃん、子供は六銭げな〉とトシオが料金の看板をみつけて言う。一把一銭で売れたとしても、二人分の代金を払ってなおおつりがくる。夢みたいな話だった。市場に戻ると、場内は見違えるようにごった返していた。床は種々の蔬菜類で埋めつくされ、足の踏み場もなかった。自分たちが置いた三ツ葉芹の場所さえ分らない。ようやく探しあてると、豆や牛蒡やオクラの山に四方から押し縮められて、みすぼらしくなっていた。係員がチェックのための番号札をはさみこんで回っていたが、三ツ葉芹を無視して行き過ぎようとしたので、〈おっちゃんこれも〉とトシオが声をあげた。せりは入口付近からいつとはなしに始まった。ボソボソと念仏を唱えるような一団が少しずつ移動してくる。隣の隠元豆まで来て、そこで長いこと停止した。三十銭、三十五銭という声が飛びかった。ぼくは急にいたたまれなくなり、トシオをその場に残して、五、六歩離れたところに身を引いた。せりの声が一段落すると、買参人たちは囲みをとくような形で、ぞろぞろと三ツ葉芹の方に身体をむけた。そのうち十人くらいが足をとめ、残りの十人は早くもその先の出荷物に目をやっていた。間髪を入れず、〈一銭〉という声がおこった。ぼくは反射的にトシオの方をみた。トシオは教壇に立たされた生徒のように、気をつけの姿勢で、顔だけうなだれていた。〈二銭〉という歯切れのよい声があがった。時間が長く感じられた。〈三銭〉という声がむこう側で聞え、その余韻を打ち消すように、〈四銭〉というひときわ太い声がぼくのすぐ前でおこった。気がつくと、せりの一団は去り、係員が自転車のスポークに赤い布をつけたものを三ツ葉芹の上に突き立てていた。〈おい、四銭じゃったろう〉ぼくはトシオの肩を後からこづいた。〈うん、四銭じゃった〉〈4×35だから、一円四十銭ぞ〉〈うん、すごかね〉トシオはやっと事態が飲みこめたように、黄ばんだ歯をみせてニヤリとした。〈映画ば見たあとうどんも食わるるぞ〉ぼくは言った。換金のため、事務所へはトシオを行かせた。大人の列の中に、番号札を持ってちょこんとトシオが並んでいた。〈映画館の前で待っとくぞ〉と言い残して、ぼくは市場を出る。空らになった林檎箱を荷台に乗せてゆっくり自転車を押していく。町はまだ起きがけのようだった。映画館の前を、女の人が水で洗い浄めていた。ぼくはガラス戸のむこうのポスターや写真を眺めて、トシオが来るのを待った。二、三十分してトシオはやってきた。空ろな眼をしていた。無言でぼくの前に右手をつき出し、手のひらを開いた。一銭玉が四個のっていた。〈全部で四銭げな〉トシオは泣き出しそうな顔で言った。ぼくは反射的に自転車にまたがっていた。一刻も早くその場から逃げ出したかった。〈乗れ〉とトシオに言った。空気が充満していないタイヤは、道路の凹凸にあうと鈍い音をたて、振動がじかにハンドルに伝わった。〈ぼくは降りようか〉とトシオが背中でこわごわと言う。〈降りんでよか〉ぼくは却って依怙地になって腰を左右に振り、ペダルを踏み続けた。じわじわと沸きあがる鬱憤をそうすることで燃焼させようとした。重いペダルを歯をくいしばって踏んだ。町を出て近道を通った。道は悪いが、下り坂がだらだらと続く。自転車は息を吹き返したように下りはじめた。ぼくはようやくサドルに腰をかけ、ひと息いれる。竹藪が何もしないで後方に流れていく。加速が加わり、ブレーキをかけようと思った瞬間、下から衝きあげられた衝撃でハンドルをとられた。車体が傾いたまま藪の中に突っ込んだ。笹の乾いた音ときな臭い匂いがした。右足に痛みがあった。竹の切株がささり、赤い血が滲み出している。〈タケちゃん、痛かろう〉とトシオが足首をさすってくれる。

〈トシオ、お前はもう後に乗るな。走れ〉ぼくはできるかぎりの憎々しい語調で命令し、自転車をたてなおす。〈タケちゃん、林檎箱は〉〈お前がかかえて走れ〉ぼくは言い捨て、後も見ずにペダルをこぐ。箱を小脇にかかえて走るトシオの気ぜわしい息づかいが伴奏になった。毒々しい快感がこみあげてきた。

　それっきり三ツ葉芹を口にしたことはない。トシオはその年の夏に黒木川で溺れて死んだ。ぼくよりも早く泳ぎを覚え、犬かきもうまかったのに、どうして堰の上の深みにはまったのか分らない。トシオの死体が上がり、消防団員が人工呼吸をしていると聞いて、ぼくは家をとび出し、川までの一本道を友達と力のかぎり走った。川まで行きつかぬうちに、むこうから葬列のような一団がやってくるのに出会った。先頭をトシオのおやじが片足をひきずりながら歩いてきた。腕に抱かれたトシオの足の裏が紙のように白くしわんでいたのを覚えている。

　エイブの後任としてプリンストンから来るはずになっているAの到着が一週間延びるそうだ。どんな男かは知らないが、このまま、来なければいいと思うときがある。陽気な、会えばいつも冗談を飛ばしていたエイブに代りうるものは、存在して欲しくない。自転車の曲乗りがうまく、スポーツ万能だったが、いつか、〈おいタケヒコ、おれの胸を聴診してみないか〉と、わざわざ聴診器を持ってきて聞かせたことがある。木と木がこすりあうような音がするので、びっくりして顔をあげると、〈胸の嘆きだよ〉と笑った。幼い時の気管支拡張症の名残りらしい。また、昼食の席でこんな話もした。山登りをはじめたばかりの若者が、熟達したガイドのあとについて絶壁をクライミングしていた。ガイドが若い男を見おろして言った。〈ここが一番難所だから気をつけなさい。足を踏みはずしたらひとたまりもありません。しかし、不幸にして万が一墜落するはめになったら、ぜひ右側の方を眺めるのを忘れないように。百メートルばかり落下する間、素晴しい眺望がみられるはずです〉エイブはそう言って同席していた同僚たちの反応をにやにやしながらみつめるのだ。

エイブが、モンセギュールの城砦（じょうさい）の上で何を考えたのか。墜（お）ちていく瞬間、何を見ていたのだろうか。

エイブのやっていた仕事は、いわば生物学領域における難攻不落の城を攻略することであった。十七世紀後半、レーウェンフックが自家製のレンズで、細胞を見て以来、幾多の生物学者たちが細胞の内部まではいっていこうとした。薄い細胞膜だけしか持っていない動物細胞はやがて城を明け渡す。だが、植物細胞だけは、学者たちの攻撃をはねかえし続けた。分厚いセルロースと糖で固められている細胞壁が、彼らの試みを逐一妨害するのだ。モンセギュールの城壁同様、難攻不落の強力な構造物だった。エイブはまず、希硫酸を主体とした化学薬品で細胞壁を溶かそうとした。壁は破れたが、細胞自体も死んでしまった。次に超遠心とマイクロウェイヴを加えて、物理的に壁を破壊しようとしたが、これは不可能だと分った。三番目の手段が、セルロース分解酵素だった。温度と酸度をコントロールしながら種々の濃度の酵素液を加えていくと、見事に細胞壁は消化されはじめた。この方法は、しかし細菌には効果が少なかった。エイブが遺書として残したリポートには、従って第四の方法が考えられていたのだ。所長から渡されて、二日後、ぼくはエイブの実験室で追試実験をはじめた。一回目に枯草菌の細胞壁は溶けプロトプラストのみになり、しかもそのプロトプラストは生きていた。二回目も同様の結果が出た。プロトプラストを傷つけないように注意深く培養液の中にもどしておくと、三時間後には細胞壁を再構築しはじめ十時間後には完全に元通りの細胞になったのだ。細胞壁をもたぬ〈はだかの細菌〉をつくり出す生物学者の夢は、レーウェンフックから三世紀を経て、ここにはじめて実現したのだと言える。イエルシニア菌についてはまだ実験をしていないが、多分同じ結果になるだろう。所長が追試の成果を聞いたとき、ぼくは、まだ十分なデータを得られません、と答えておいた。成功だと分れば、プリンストンからの新任研究員が到着するのを待たずして、仙台ヴァイラスによる細胞融合の実験を急がせられるだろう。ぼくは、まだその気になれないでいる。

エイブの残した仕事そのものは、決して、逆立ちした科学に属するものではない。彼がもしこの業績を母校のマサチューセッツ工科大で成し遂げていたら、まっとうな科学として注目され、称讃をあびただろう。はだかの植物細胞ができれば、例えば大豆ととうもろこしの細胞を結合させて、二倍体の新品種をつくることまではそう遠くない道のりなのだ。しかし、彼の仕事、この微生物研究所のプロジェクトのルートの上で成された限り、予定されたコースを一歩なりとも踏みはずすことは禁止されている。しかも、業績に個人の名が冠せられることはない。ぼくたちはあくまでも無名の兵卒で終る運命を背負わされているのだ。

その意味でエイブは任務を完璧に遂行したといえる。次に待っているのは、ぼくの任務なのだ。はだかにした枯草菌とイエルシニア菌の混合液に仙台ヴァイラスを感染させ、融合細胞をつくり、再び培地に返して細胞壁を修復させる。この時点で地上に未だかつて存在しなかった新種細菌が出現する訳だ。あとはＫが得意の増殖装置で、何十代かの継代をつづけ淘汰していき、ＡとＴが種々の感染ルートに応じたフォーマットを作成するだろう。Ｍは同時に、ＴＮＭ菌に対して証明済みの特効薬に改良を加えて、新しい薬剤を手中にする。すべてが、プロジェクト通りの事の運びなのだ。三カ月か四カ月後、いかなる乾燥にも耐え、一五〇度からマイナス四〇度の温度変化にも死滅せず、既存の抗生物質が奏効しない細菌が、フォートデトリックに送られ、新兵器のファイルのなかに記入され、出番を待つことになるだろう。

何万人、何百万人、いや何億かの人間を死に追いやる兵器。その長い導火線に、いまぼくが火をつけようとしている。

時折、見捨ててきた兄のことが気になる。生きてはいるだろう。黒木川のほとりにある精神病院で、息をひそめて生きながらえているとしても、彼がぼくのことを思い浮かべることがあるだろうか。自分だけの世界に閉じこもっている。というより、外界が自己の領域まで浸潤してきて、自分固有の核はなくなってしまう。内容物と重みを失った形骸物(けいがいぶつ)としての容器が、亡霊のように大気中に漂っている状態、それが兄だった。兄が真に人間であったのは妄想が起きる前までだった。妄想の時期に、兄の生命力は一気に燃えつきてしまったようだ。その後の四十数年分の生命が一度に燃え上がるのが妄想だとすれば、病院に送りこまれてからの兄は、埋(うず)み火を風に吹き飛ばされぬように守りつづけている存在に過ぎない。

油屋の借家の屋根に登って、福島の町の方角を見て血相をかえる。〈あいつが迎えにくる〉と叫びながら、眼の吊りあがった蒼白な顔でおりてくる。台所から包丁を持ち出して、また猿のようなすばしこさで枇杷の木を伝い、屋根にあがる。包丁を振りかざして〈来るな、来るな〉と叫ぶ。叫び疲れたあとは、おいおい泣きじゃくってついには石のようになって動かない。ぼくと油屋の若い衆が二、三人、梯子をかけて屋根にのぼり、地蔵仏をかかえるようにして引きおろさねばならない。兄はしゃがみこんだ姿勢のまま、右手の親指を顔の前に突きたてたまま、まばたきひとつせずにそれをみつめている。納戸の中に一日そっと放置しておくと、発作が去って、物を食い、家族とも話しはじめるのだ。おやじは、兄のそんな発作のとき、家にこもって酒をあびるだけで、おふくろは涙をためておろおろするばかりだった。兄の調子が比較的良い時、〈あいつとは誰のことね〉と聞いても、にたにた笑って、〈お前には分らぬ。俺だけにしか関係ない〉と答えた。

兄の発作は必ず不眠からはじまっていた。眠れずに家をぬけ出し、墓地に行ってそこで夜を明かしてもどってくる。昼間は一歩も家の外に出ず、誰とも口をきかなくなる。そして最後に、屋根の上での狂態に至るのだ。

発作が三、四回続いたあと、おやじとおふくろが油屋の主人に呼ばれて、夜遅くまで帰って来なかった。翌朝、兄が手ぬぐいで頬かむりをして家の中をうろうろしていたとき、白衣を着た男たちが五、六人はいってきた。暴れまくる兄を男たちがおさえつけ、注射針が腕に刺されようとするとき、兄は、おやじとおふくろを睨みつけて、〈お前たちはそれでも親か〉と叫んだ。兄はぼくの方をまるで石ころでもみるような目つきで一瞥した。やがて、注射がきいたのか、大きなあくびをひとつしてぐったりしてしまった。

兄の居なくなった家はのっぺらぼうだった。いつか泥酔して帰ってきたおやじを、兄が足蹴にして半殺しのようにして以来、おやじは兄に気がねして家の中では酒を飲まなくなった。兄が発狂してからも、緊張をはらみながら、一家は奇矯な兄を中心にしてひとつにまとまっていたのだ。その奇妙な支柱が失われて、家の中はのっぺりした感じになった。

兄の心の中にある何か狂わしいものを感じたのは、彼が中学にはいった年だった。油屋の裏を流れる溝川で、兄が喧嘩をしているというので行ってみると、もう十数人の村人が集まって傍観していた。兄は溝川の中に膝までつかっていた。左右の手で、友人二人の襟首をつかみ、溝水の中に何度も顔をおしこむのだ。〈飲め、飲め〉と言いながら、なぐられて腫れあがった友人の顔を突きこむたびに、汚い水しぶきがあがった。二人の友人は全く無抵抗で男泣きしながら許しを乞うていた。もう一人の友人は泥だらけの学生服のまま、むこう岸に倒れかかって、頭をかかえこんでいた。頭髪が溝泥でべとべとに汚れている。見かねた見物人のひとりが、〈市ちゃん、もう許してやんない〉と言うと、兄は意外に落着いた声で、〈こいつらが腹いっぱい溝水を飲むまではやめない〉と言い放つ。友人三人が、冗談半分に、小便をかけた稲荷ずしを兄に食わせたのが喧嘩の発端らしかった。三人が失神状態になるまで、誰も喧嘩を止めることはできなかった。おふくろが、泣きながら頼みこんで、兄はやっと溝川からあがった。

兄の発狂した年齢に自分が達したとき、ぼくは彼が利用したに違いない中学の図書館で、精神医学の本を読みふけった。そうすることによって、自分も狂気に陥るという懸念を追い払おうとしたのだ。〈分裂病の家族〉という項目を息をつめて読んだことを思い出す。分裂病者の家族は無秩序であり、家族内の役割が不明で、親子兄弟の絆が病的感情に毒されているのが特徴とされていた。対人関係が硬直し、物事を観念的にしか見れない父親。情動不安定、みせかけの交流ばかり気をつかい、本当の意味での情動のかなめの役割を果していない母親。――それはそのまま自分の家にあてはまると思った。病的家族のなかで、最も敏感な、共感能力の高い者が発病するのだという公式も、現実感を伴ってぼくの心にしみた。一番純粋な人間らしい人間が、鈍感で仮面をかぶった他の家族成員からはじきとばされて、狂気におちていくのだとすれば、本当に救いようがないのは、おやじであり、おふくろであり、そして何よりもこのぼくだった。

ぼくの家族ははじめから死んでいたのではないか、という気がする。巡査を辞めてからのおやじはひたすら死ぬために酒を飲み続けたのではなかったか。女房から忌み嫌われ、息子たちから軽蔑され、村の誰かれからも相手にされず、最後は飲み屋で吐血して戸板の上で死んだ。誰も悲しむ者はいなかったが、死んで一番ほっとしたのは、おやじ自身ではなかったかと思う。

おふくろもまた、鵜の目鷹の目で死ぬ理由を探していた。油屋の京さんが手首を切って自殺をはかった日、おふくろが納屋でくびれたのは唐突でなかったはずだ。世間では、頼りにしていた二男坊が、恩義のある大家の女房と不義を働いたことに対する、死をもっての詫びだと考えたに違いない。だが、彼女が死なねばならない本当の理由はもっと前から存在していたのだ。人格者で通っていた油屋の主人は、ぼくら一家が借家に住み出してまもなく、おふくろに手をつけてしまっていたらしい。兄が発狂し、おやじが死んでから、それがわかった。中学から早く下校した日、家の鍵が閉まっていた。裏口に回って家の中をのぞきこんだとき、ガラス戸のむこうの光景が目にはいった。おふくろが胸をはだけた恰好で、裸になった油屋の主人の上に馬のりになっていた。髪をふりみだした顔がのけぞり、身体が力強く揺れた。白い脚の筋肉がピクピク動く。一瞬の間に、ぼくはそれだけの構図を頭に焼き込まれて、家を飛び出していた。

油屋の主人とおふくろの関係を京さんが知っていたかどうかは分らない。どっちにせよ、どうでもいいことだ。ぼくの思い出のなかでそこだけぽっと明るいのは、京さんとの出会いだけだ。油屋に引越した当時、子供心にもお京さんの美しさははっとするほどだった。言葉遣いにもどこか上品なところがあって、それは日田の芸妓だったせいだということはあとになって知った。週に一度の割で、京さんは日田や福島、熊本の町まで出かけていた。一人のときもあったし、女中をつれているときもあった。道で遊んでいると、着物をきた京さんがいい香を残して通りすぎていく。ぼくは遊びをやめてじっと眺めるのだ。借家の子供であるぼくたちに声をかけてくれることはなかった。京さんは別の世界の人間だったのだ。

その超然としたところがなくなったのは、戦争で敗けてからだ。油屋は小作に出していた二十五町歩ばかりの水田を失い、だんなは一時気抜けの状態だった。実際は、七百町に及ぶ山林は無傷のまま残ったのだから、壊滅的な打撃ではなかったはずだが、彼はそこまで思いをめぐらす余裕はなかったのだろう。〈あなたは良いことをされたのです。本来、あの田は私たちのものではないのです。田のなかに一度たりとも足を踏み入れたことがなかったのですから〉と京さんが、主人にさとしたという噂はすぐに町中にひろまった。やはりお京さんは並の大尽夫人とは違うと、だいぶ株があがった。それ以来、彼女は雛壇から地べたにおりたような印象を与えた。中学で理科と数学以外、余り良い成績をとれなかったぼくを、東京へ出すように説得してくれたのも彼女だった。〈一年間に、八十年ものの杉を三本切ればすむことです〉と油屋の主人に言ったそうだ。

　東京の専門学校にあがって、はじめて帰省したとき、夏祭りの晩に〈お勉強の方は面白いの〉となまめかしい声をかけられた。四十近いとは言え、目は熟した魅力を保っていたし、着物の襟あしのあたりには、触れれば落ちそうな色香があった。

　次の日、東京の土産話でも聞かせてくれと、京さんの部屋に呼ばれた。中庭の木戸からはいっていくと、彼女が縁側に立って待っているのが見えた。障子をあけ放った京さんの部屋は、箪笥と鏡台があるだけの簡素なもので、彼女の華やかさとは対照的だった。縁側に坐って何を話したかは覚えていない。出された羊羹がおいしかった。

京さんは目をきらきらさせて〈私も東京へ一度行ってみたい〉と言い、ぼくは〈来たらいい。一度見ておくべきですよ。ぼくが案内しますから〉と答えた。

その秋、飯田橋のぼくの下宿に京さんがひょっこり訪ねてきた。大家の婆さんの横に立って、京さんがいたずらっぽい笑いをこらえている。婆さんは自分の下宿屋がボロ家なのを恥じるかのように腰を低くし、京さんに土産の礼を言ってそそくさと引込んだ。六畳一間に押入れだけのぼくの部屋は足の踏み場もなく、散らかした本を押しやるようにして京さんの坐る場所をつくった。〈来たわよ〉と京さんは若やいだ声で言った。〈ひとこと知らせて貰えれば、駅まで迎えにいったのです〉とぼくは上気した顔で言う。女中ひとりをつれて一週間の物見遊山だと言う。〈夕食は外でいただきましょう。大家のお婆さんには、もう言っておきましたから〉と京さんが言った。日本橋まで出て食事をし、酒も飲んだ。足許がおぼつかない京さんを京橋の旅館まで送っていった。一緒に来ているはずの女中は帰っていなかった。

〈千葉の伯父のところに行かせて、今夜はむこうに泊るらしいの〉と京さんは言った。ぼくもしたたか酔っていた。酒と京さんの色香にだ。その夜ぼくははじめて、京さんの、そしておんなのからだを知った。朝眼を覚ますと、京さんの寝ていた布団は空らで、ぼくが顔を洗って部屋へ戻ると、京さんは涼しい顔で布団をたたんでいた。〈昨夜はどうもありがとう〉と笑顔をぼくにむけた。その日も二人で東京を歩き回った。京さんは黒木に居るときよりも生き生きとしていた。薄萌黄色の着物はカフェの中でもひときわ映えた。夜は同じ旅館に泊った。女中は帰っていなかった。一緒に東京見物すると言って上京し、千葉に追いやったのは京さんの策略だった。女中は東京を発つ前の日に戻ってきた。三人で夜、観劇をした。京さんは女中がいないところでぼくの手を握り、〈お正月に帰ったとき会えるわね〉と言った。

正月に帰省し、油屋の主人に挨拶に行った。〈お京が上京したとき、めんどうみてくれたらしいな、ごくろうやった〉と主人が言う傍で、京さんは下を向いてお茶を入れていた。〈ぼくの方もカフェやら映画、歌舞伎といい見物をさせて貰いました〉と答えた。

お京さんのことづてを例の女中が持ってきたのは、ぼくが東京に帰る前々日だった。中庭から京さんの部屋の方に回った。京さんは、日当りの良い縁側で本を読んでいた。ぼくに気づくと〈部屋へあがりなさい〉といって、下駄をあがりぶちの陰に隠した。主人は他の町会議員たちと一緒に県庁まで出かけて留守だった。閉め切った部屋の中で、京さんの豊満なからだを抱きながら、おふくろと油屋の主人のことが頭をよぎった。自分の行為がはじめから仕組まれていたような気がした。これでいいのだという思いが、ぼくをいっそう大胆にした。

京さんとの関係は次の年の夏まで続いた。京さんは家出をして一緒に上京するといい、ぼくは断った。京さんが好きだったが、そこまでやることは、どう考えてみても不可能だった。京さんは腕に剃刀(かみそり)をあて、虫の息のところを発見された。油屋の主人は最初からぼくたちの関係を知っていたらしかった。おふくろは、京さんが自殺した知らせがはいってすぐ、納屋でくびれてしまった。

ぼくは自分がおふくろを死に追いやったとは思わない。彼女はずっと以前から死に場を探しながら生きていたのだ。ぼくと京さんの関係を踏み台にして、向う岸へ飛んだに過ぎない。

しかし、それ以後、ぼくは人間を相手に生きることが恐(こわ)くなった。他人の感情に自分の感情をからませることが空恐しかった。兄と同じ道を辿(たど)らない唯一(ゆいいつ)の方法は、自分の世界をそこだけで完結させることだと思った。一日中、感情の襞(ひだ)を揺らさずに生きていくのが理想だったから、細菌やウィルスを相手にしているときが、一番平衡を保っておられたのだ。それ以外の時間は、生活費を稼ぐため、止(や)むを得ず目に見えない防具をまとって人と交わり、話をした。

だが、仙台に移ってから、その防具を脱ぎ捨てても生きていけるのではないかと感じるようになった。或る友人のおかげだ。名前は記さないでおこう。ぼくの硬直した感情は、彼の優しさによってときほぐされ、暖められていった。あのまま、彼の傍で数年を過ごしていたら、と思ってみることがある。

ぼくは結局、仙台ヴァイラスの方を選んでしまったのだ。そして、好きなウィルスを相手にしていれば動揺せず、狂うことのないはずの心が、今は底の方から波立ちはじめている。やり直しのきかない後悔の念につき動かされて。

自殺の理由は分らないというのは嘘だ。自殺するのは精神が衰弱してしまっているからというのも嘘だ。人は理由なしに生きることはできるけれども、十分な理由なしに死ぬことはできない。

狂人は、狂気の状態にとどまっている限り、だらだらと生きつづけることができる。彼が自殺するのは、決って狂気が回復に向い、消えかかったときなのだ。だから——

〔黒田のノート終り〕

第五章　成熟（マチュレーション）

ウィルスを形成するに必要な成分は、ある時期に到達すると他の成分をも加えて最終段階の成熟期に入る。インフルエンザ・ウィルスの場合には成熟した粒子は決して細胞内に認められず、感染力を獲得するのは細胞から出るときである。また痘瘡（とうそう）ウィルスの場合には、封入体の基質成分が局所的に集合し濃縮して、これを外側から限界膜が包囲して球状粒子を形成するといわれている。この時期の初期に出現する粒子は発育形と呼ばれ、後期に出現するものは成熟形と呼ばれる。ヘルペス・ウィルスやアデノ・ウィルスにおいて増殖の場は核内であるが、核内の顆粒（かりゅう）の凝結より始まり、ウィルス粒子が形成される。

（戸田忠雄「戸田新細菌学」）

1

次の朝、佐伯は早目の朝食をとった。日曜日だった。ドイツ人一家はまだ食堂におりてきていなかった。カウンターの奥のキッチンで、宿屋の娘が粉のようなものをこねているのが見えた。

「これからヴィヴ夫人に会いに、墓地までいくつもりだ。ふだん、彼女が何時頃墓参りするか知らないか」

佐伯は女主人に訊(き)いた。

「そんなことだったら、電話してみたらどうかしら」

「きみがそれとなくかけてみてくれないか。私が直接電話するよりも賢明だろう」

女主人はうなずいて、カウンターの方へ戻り、ダイヤルを回した。相手が出た瞬間、顔がほころぶ。受話器を耳にあてたまま、佐伯の方を見ながら話をしている。電話の相手との会話は一分とかからなかった。

「ジゼルはもう家を出たそうよ」

「早いな」

佐伯はパンを指でひきちぎる。「電話にでたのはだんなかい」

「小学生の男の子よ。アランはこの時間には家に居ないわ。牛乳を配る仕事があるから」

女主人は言った。

ホテルを出たのは七時少し前だった。曇り日で、涼しかった。村の表通りはまだ眠ったままだった。雑貨屋の内側には茶色のカーテンが引かれ、自動車修理屋は黒いシャッターをおろしていた。

佐伯の頭のなかで、黒田という忘れがたい友の一生が、次第に明瞭な輪郭をとりはじめていた。彼が残したノートには、佐伯の知らなかった一面があらわれていた。仙台時代の依怙地なまでに肩をいからした黒田とは違った、悩み、揺れ動く多感な青年をみることができた。

かつて佐伯が訪れた田舎町のたたずまいが、黒田の記憶と佐伯自身の記憶で屈折し、奇妙な遠近感をもって思いおこされた。釣り竿を持った幼い日の黒田、詰襟姿の黒田を想像しながら佐伯は小径をたどった。

礼拝堂の横から墓地へ通じる鉄のアーケードをくぐると、ヴィヴ夫人の後ろ姿が墓石のかげに見えた。髪を無雑作にたばねた顔が、佐伯の足音を聞きつけて振りむいていた。

「よく来て下さいました」

彼女はほとんど化粧をしていない眼をうるませて言った。佐伯は軽く会釈（えしゃく）をして、そのまま黒田の墓の前に立った。合掌して黙禱（もくとう）する佐伯のそばで、夫人もまた眼を閉じ頭を垂れた。

「よくここまで黒田のめんどうをみていただきました。改めてお礼をいいます」

佐伯は夫人の方に向きなおって言う。

「いいえ、わたくしこそ昨日のことをおわびしなければなりません」

「もうそのことは終ったことにしましょう。彼が残したノートは、確かに読ませてもらいました」

「あれはどうぞお持ち帰りになって下さい。タケヒコもきっと本望だと思います」

「せっかくの形見をよろしいのですか」

佐伯の言葉に、夫人は静かにうなずく。

黒っぽい服が、彼女に沈んだ落ちつきを与えていた。

「あの容器はあなたが置かれたのですね」

彼女は微笑し、墓石のそばの梅干しを入れた壜を指さした。

「そうです。笑われるかもしれませんが、私の田舎の風習なのです」

佐伯はばつが悪そうに言う。「本当は墓参のたびに水を新しくし、中味も換えてやらねばならないのですが」

「何でしょうか。コップの中の赤い実は」

「プラムの一種を加工したものです」

「まだ、お持ちでしょうか。赤い実があれば、これからはわたくしが水をかえてやることにします」

夫人は言った。十個くらいならまだ残っているはずだった。

「しかし、あなたがやれば、黒田もびっくりするでしょう」

「ええ、日本流のやり方を喜びますわ」

夫人は真顔で答えた。彼女の口調にはホテルの女主人のような訛りが少なかった。かげりのある端正な顔は、若い頃スクリーンで見た誰かに似ている、と佐伯は思う。

「タケヒコはあのノートにどんなことを書いていたのでしょうか」

胸元で手を合わせるようにして彼女は聞いた。

「日本語のところだけしか読んでいないのですが」

佐伯は表情を固くする。「あなたは、彼がどんな仕事をしていたのか、当然ご存知なのでしょう」

「いいえ、仕事の内容の詳しいことは知らないのです」

沈痛な眼が佐伯を見守っていた。佐伯は一歩からだをずらすようにしてから言葉をついだ。

「黒田は、細菌を融合して新しい微生物を創ろうとしていたのです。一種の遺伝子組換えに相当します。遺伝子を継ぎ足したり、削り取ったりすることによって、これまで地球上に存在しなかった生物をつくり出す企てなのです。理論的には可能ですし、現に、初歩的な技術は既に解決済みなのですが、良心的な科学者はそのたぐいの試みに警鐘を鳴らしています。なぜだかお分りでしょう。実験によって、偶然にせよ、意図的にせよ、全く新しい、しかも危険な生物が出現した場合、われわれはそれを制御する技術を持っていないのです」

佐伯は説明しながら、遠くピレネーの山を眺めた。人里離れた墓地で、最も現代的なトピックを口にしているのが信じ難かった。

「例えば、人間の体内に常在している大腸菌は、全く毒性がないのですが、遺伝子操作によって病原菌化させれば、すべての人間が危険にさらされることになります。あるいはペスト菌に他の雑菌の遺伝子を組入れて、いかなる環境でも死滅しない菌をつくり出せば、二十世紀の今日が、再び暗黒の中世時代に逆戻りすることになります」

佐伯は夫人の方に向きなおった。ヴィヴ夫人の目の緑がかった光彩が曇った。「ですから、良心的な科学者のグループが、おととしの夏、英国の雑誌〈ネイチャー〉とアメリカの〈サイエンス〉に、実験反対の声明文を発表したのもそのためです。去年の二月には、カルフォルニアであった国際会議で、遺伝子組換えに関する研究の一時的な停止を申し合わせました。ガンや天然痘の遺伝子を細菌に挿入する研究の放棄と、適切な防御手段が確立されていない実験室での研究を禁止するという内容のものでした。ところが、二十年前黒田がやっていた仕事は、まさしくそうした事柄だったのです」

佐伯は夫人の顔がみるみる蒼ざめていくのを、みつめた。

「そんなことが、お渡ししたノートに書かれていたのですか」

と彼女は小さな声で言った。

「ええ、しかし、黒田たちが、その実験に完全に成功したかどうかは分りません。あのノートは途中で中断されています。むしろ、その後のことはあなたがご存知ではありませんか」

佐伯の方が詰問する形になっていた。

「たしかに、タケヒコは自分の仕事に疑問を持っていたようです」

夫人は胸のつかえを解き放すように嘆息した。

「仕事の内容について、あなたに話してきかせることもあったのですね」

「ええ。しかしそれはあくまで断片的な事柄だったような気がします。思いおこすのも嫌な様子でしたし、夜、うなされることもしばしばでしたから」

夫人は眼を伏せて、黒田の墓石の方を静かに見やった。

「そうですか。分るような気がします。ノートにも、動揺し、自問する姿勢がはっきりと出ていました」

佐伯も、視線を、赤い墓石におとした。「そうやって、悩みに悩んだあげく、自ら死を選んだのでしょう」

「自ら死んだのですって」

夫人は顔をあげて聞き返した。

「違うのですか」

気圧されるように佐伯は身を退けた。「ベルナール博士がそう言ったのですが」

佐伯の言葉に、彼女は喉の奥で乾いた笑い声を発した。

「あの人なら言いかねないことですわ」

ひとりごとのように言い、遠くを見やったまま沈黙した。

「ひとつ、分らないことがあるのです。あのノートに出てくる研究所の所長というのがベルナール博士なのですか」

夫人は佐伯を正視してうなずいた。

「そうでしたか」

佐伯は唸った。「パリで会ったあの老人と、ノートの中の所長が同一人物だとは信じ難いことです」

「二十年の歳月ですわ」

夫人はきっぱりと言う。「多分、二十年の歳月があの人を変えてしまったのでしょう。でも、わたくしの方は変りようがなかったのです」

「彼と会われたことがあるのですね」

「三年前に一度。この墓の前で偶然会いましたわ。偶然というより、彼が待ち受けていたのでしょう。ひと目で所長だと分り、逆上してしまいました。彼はなんとかその場をとりつくろおうとしたようですが、わたくしはそのまま家に逃げ帰ったのです」

「そのあたりのことが私には納得がいかないのです。あなたにうとまれながら、それでいてあなたに近づこうとしている彼の意図が」

佐伯は言った。

「贖罪のつもりなのでしょう」

と彼女は冷ややかに言った。「あの老人は自分の過去に怯えているのですわ。あなたにタケヒコが自殺したと嘘をついたのもそのあらわれです。しかし、いくらわたくしにとり入り、タケヒコの最期を自殺だと見做しても、血で汚れた手は元通りになるはずはありません」

「というと、黒田は彼によって殺されたとでもいうのですか」

佐伯は自分の声が上ずっているのに気づいた。夫人はまばたきの少ない目をじっと佐伯の方にむけて肯定した。

「わたくしは決してあの老人を赦すわけにはいかないのです。最後まで苦しむべきですわ」

夫人の肩が小きざみにふるえている。佐伯は黙ったまま、墓のむこうの穴をみやった。

「ベルナール博士から預った封筒には、十万フランの小切手がはいっていました。あなたが受け取らなかった場合には、日本に帰ってから開封するように言われていたのですが、昨日、帰り道で開けてしまったのです。中味はその小切手だけで、手紙のたぐいは何もはいっていません」

佐伯は言った。彼女の横顔は何の反応も示さなかった。佐伯は、老博士の温厚な顔と、黒田のノートにあった所長、ヴィヴ夫人のいう所長とが容易にひとつに重ならないことに苛立ちを感じていた。

「あなたは、わたくしが冷淡すぎると思っておられるでしょうね」と、夫人は淋しげな微笑を口許に浮かべて言った。「でも、これからお話しすることをお聞きになれば、きっと納得がいくと思うのです」

彼女は、墓地の隅にある石のベンチの方へ歩んだ。

2

ジゼル・ヴィヴの父親はサンジロンの高校の歴史の教師だった。母親はジゼルが二歳のとき、子宮外妊娠の出血が原因で死んだ。再婚話を頑なに断り続けていた父親が事故に遭ったのはその五年あとだった。校門から出てきたところを、暴走してきた自動車にはねとばされ、塀の角に頭をぶつけるという不運な死に方であった。

ジゼルは父の遺体と対面することもなく、その死を知らされた。何のことか確かには分らなかったが、ひどく悲しかったことは覚えている。

父より九歳年上で、子供がなかった伯父夫婦がジゼルを引き取った。サンジロンから、ウストの田舎に移った。ジゼルが学校にあがる年である。

伯父夫婦は少しばかりの畑と山を持ち、シーズンになると狩猟に出て、肉と毛皮を売って現金収入を得ていた。豊かな家計ではなかったはずだが、ジゼルは伯父の家が貧しいと考えたことは一度もなかった。

伯父は寡黙で温厚な性格だった。大声を出すということがなかった。長身だが、猫背のために、銃を構えて獲物をねらう恰好がいかにもさまになった。伯母は小柄で、年に似合わず娘っぽいところが残っていた。時々ひょっこりおかしなことを言っては、自分から笑い出した。

ジゼルは内気な子供だった。伯母がそれを気にかけて、ことあるごとにジゼルをつれて外に出た。買物にも一緒につれていくのだが、ジゼルは伯母のスカートの陰に隠れるようにして歩いた。リセでも目立たない生徒だった。授業中、手をあげたこともなく、テストの成績が良くて、名前が読み上げられるのさえも顔から火が出るような気持だった。かつて父親と同僚だった教師がなにかと目をかけてくれたが、却って重荷になった。

ジゼルの楽しみは本を読むことだった。東洋文化に興味を抱いていた父親が残した中国の絵や写真、古い物語をやさしく書き直した本のたぐいが、ジゼルを夢想の世界にひきこんだ。髪を冠のように結った、目の細い子供たち。入り組んだ屋根を持つ城、満々と水をたたえた湖、遠くに青くかすむ山影。くるぶしまであるふんわりしたドレスを着た、美しい婦人たち。それらは、小人や妖精たちの出てくる童話の世界よりも、もっと夢の多い、優しい世界だった。糸の結び目を並べたような独特の文字も、ジゼルの好奇心をかきたてた。

ジゼルが特に繰り返して読んだのは、白い蛇が美しい青年に恋をする物語だった。青年も森の中の宮殿に住む白蛇の化身が忘れることができない。挿絵に描かれた二人の逢う場面は、ジゼルを想像上の恋にかりたてた。

リセ時代、ジゼルが秘かに思いを寄せていた少年がいた。直接口をきいたことはなかったが、毎朝顔を合わせた。ウストからサンジロンへ向うバスの途中、ラクールの村で彼は乗り込んできた。腰かけているジゼルの近くに来て、吊り革につかまるのだが、ジゼルは彼の姿を目にした瞬間からだを固くし、再び彼の方をみつめる勇気はなかった。逆に彼の方からみつめられているような気がして、かたくなに窓の外を眺めるばかりだった。バスがサンジロンについて、座席を立つとき、偶然に視線が合うとき、ときめきが身体の芯を走りぬけた。

少年は片方の足が不自由だった。歩く背中が左右に揺れるのをみて、ジゼルは美しいとさえ思った。

リセの最終学年の秋に恒例のカヤック競技が催された。ウストから二キロ程離れたエスプの村から、サンジロンまで、アロック川をカヤックで下る競争だった。各クラスから五人の選手が出て、百人近い選手が二十キロのコースを数分おきに下っていく。生徒たちは思い思いに、川岸や橋の上に陣どって、声援を送る。流れが速く、突出した岩のある難所では転覆する選手も出た。ひっくり返ると、まず流されたオールを拾い、カヤックを岸にあげて裏返しにして、水をかき出し、再び下りはじめる。五人のうち速い方の三人の合計タイムで勝負が争われた。流れのゆるやかな淵にかかると、選手たちは懸命にオールをこいだ、河原から女生徒たちが手を振った。

険しくて近寄り難い岸辺を選んで、思いがけない場所から声援を飛ばすのは、男生徒たちの意地の見せどころだった。崖っぷちから川の上に張り出した木にしがみついて、選手の名を書いた布を垂らす。赤や黄色の防水着に身を固めた選手たちはそれをみて、オールを振ってこたえる。

ジゼルはクラスの女友達のあとについて、ヴィックの河原で応援した。アロック川が蛇行してできただだっ広い河原は、こぶし大の石ころで敷きつめられている。カヤックは、反対側の岸近くをゆるやかに通過していく。コース全体から見れば最も流れの遅い場所であり、岩に衝突しないよう神経を磨り へらして下ってきた選手たちは、小休止のつもりで、艇を流れるままにまかす。女生徒たちは岸辺から、甲高い声で顔見知りの選手の名を叫ぶ。

ジゼルは彼が現われるのを心待ちしていた。どんなに遠くからでも見分ける自信があった。細長いカヤックと、中央から垂直に出た漕ぎ手の上半身は一体となり、半人半獣のケンタウロスの神を思わせた。

彼はやってきた。もはや足が不自由な彼ではなかった。ぐんぐん漕いでいる。赤い救命チョッキをつけた上半身をまっすぐたて、前方をにらみながら、軽快に左右の水をかいていく。帽子ははじめからかぶっていないのか、途中で飛ばされたのか、金色の髪が波しぶきに濡れ、皮膚になでつけたようになっていた。

彼はそのカーヴで三人を抜きはなした。クラスの女の子たちが喚声をあげ、手を振った。ジゼルは胸の前で手を握りしめるだけだった。彼が自分の姿に気づいてくれるはずはなかった。それでもジゼルは満足だった。頑張れと心の中で叫んだ瞬間、彼はオールを一気にかいて抜きはなったのだから。

その頃、漠然とながら看護婦になることを考えていた。病み疲れている人々の手をとり、励ましてやる人生は、この上なく貴いものに思えた。肩をいからさなくても、観客を意識して大声をあげなくても、十分やっていけそうな職業だと思った。人目につかないところにぽつんと咲いておれそうだった。トゥルーズに高等看護学校があり、学生には特別奨学金が出るために、月々の出費はリセ時代とほぼ同額で済む。しかしこのことはまだ伯父夫婦には告げないでいた。卒業間際(まぎわ)まで、そっと自分の胸のうちで決心を揺がないものにしておきたかった。
カヤッククレースがあって以来、バスの中で視線があうと彼は微笑するようになった。ジゼルのすぐそばに乗り合わせるときには、小さな声で「おはよう」と言った。ジゼルも返事をした。少年はさらに口をききたそうだったが、ジゼルは周囲を意識して下を向くばかりだった。

卒業が数カ月に迫った最終学年の春、彼が通学バスに乗らない日が一週間ほど続いた。病気なのか、あるいはひとつ前のバスで通いはじめたのか、気になった。彼のクラスの女生徒にそれとなく問うと、やはり病欠ということだった。たいした病気ではないと聞いて胸をなでおろしたものの、おちつかなかった。その日の昼休み、ジゼルは男生徒から呼びとめられ、手紙を渡された。彼から頼まれたものだと、その男の子は言った。ジゼル宛に、どうしても話しておきたいことがあるからヴィックの河原まで来てくれないか、という文面だった。

放課後、帰りのバスに乗り、窓の外を眺めている自分が何もみていないことに気づいた。気持がゴム毬のようにはずんでいた。自分の存在を彼が認めてくれた。ありえないことが、ありえたのだと思った。そう考えるあとから、別の不安が襲ってくる。二人きりで会って、彼は自分に幻滅を感じてしまわないだろうか。容姿も声も頭脳も他の女の子たちより、特別優れている訳でもない。彼が落胆するのは目にみえている。付け文をすること自体が、信じがたい行為にも思えた。行くのはやめようとも思った。

ヴィックの河原へ行くのに最も近い停留所にバスが来たとき、ジゼルは立ち上がっていた。混乱した頭の中で、自分の気持に忠実であろうと決心した上での行為だった。バスから降りて、河原までの畑の中の道を歩くとき、全身が硬直しているように感じた。身も心もぎくしゃくしていた。誰かがこんな自分をみて笑っているのではないかという錯覚がした。

ひときわ高く繁った草の間をぬけて、河原に出たとき、いやな予感がした。白い河原に彼の姿はなかった。約束の五時は十分も過ぎていた。きらきら光る流れの上に不気味な静寂がたちこめている。

もしかすると、からかわれたのかも知れないという思いが脳裡(のうり)をよぎった。男生徒たちの嘲笑(ちょうしょう)が聞えてくるようだった。ジゼルは、いたたまれなくなり、引き返しかけた。振りむいた瞬間、横の草むらから黒い物体が飛び出してジゼルに体当りした。悲鳴をあげる間もなく、彼女は石ころの上に横倒しになった。ついで、二つめの影が顔の上におおいかぶさった。叫びは声にならなかった。かろうじて息をついだとき、汗くさい男の体臭がした。男たちは三人以上いるらしかった。顔の上にひとりがかぶさり、手足ものすごい力で押えつけられていた。低い切迫した声が飛び交った。あおむけにされた背中が石で痛んだが、スカートがはがされ、下半身が冷たい石に触れたとき、あらゆる痛覚は消えた。

時間が凍りつき、耳は何も聴かなかった。知覚が一枚の紙になって、ひらひらと舞い上がった。石と化した肉体が、きしみ、ひびわれる。

中断していた時間が溶け、再び流れはじめたとき、ジゼルは薄暮のなかに横たわっていた。河原も、清流の表面も同じように青味を帯びていた。

千々に切り刻まれた自分の身体に、まだ立ちあがる余力が残っているのが不思議だった。服を整え、靴を探して、はいた。からだをひきずるようにして、畑の中を引き返した。

バス停のベンチで二十分ほど待った。涙がとめどなくおちてきた。男たちのひとりには見覚えがあった。札つきの不良だった。

家に帰ると、伯母があっと声をあげた。

「どうしたの。まっ青な顔をして、熱があるわ」

身体がぶるぶる震えていた。ジゼルは伯母のとめるのもきかず、シャワーを浴び、からだのすみずみまで洗い、着替えをしてベッドにはいった。伯母の持ってきてくれた熱いミルクがおいしかった。誰にも何も言わなかった。口にすれば、忌(いま)わしい出来事が事実となって烙印(らくいん)を捺(お)されてしまいそうだった。忘れればいいのだ。意識のなかから、あのことを跡かたもなくぬぐいさってしまえばいいのだと思った。

卒業までの日々を石のような気持で過ごした。一日も早く、サンジロンを去ってトゥルーズへ行きたかった。看護婦になることに対して伯父夫婦は、ジゼルが予期しなかった程、喜んでくれた。

通学のバスで彼と会うことがあった。不良たちは彼に何も告げていないのか、同じような微笑をジゼルに投げかけたが、彼女の心はもうはずむことはなかった。

トゥルーズでは寄宿舎にはいった。一九五二年である。

カリキュラムはきびしく、スパルタ式の修練が待っていた。ジゼルはそれが却って快かった。くよくよ考え悩む余裕すらなかったのだ。追いたてられるような毎日のなかで、生来の内気さは次第に影を薄めていった。二、三人の仲の良い友人もできた。

卒業後の就職先をアンドールに選んだのも、一番の親友アンがそこの出身だったからだった。アンドールの医療財団の募集に応じて、二人ともモンセギュール病院に就職を決めた。フランス国内の病院より、はるかに良い待遇も大きな魅力だった。職員宿舎が完備し、給料の半分を伯父夫婦に送金しても、手許(てもと)には十分すぎる額が残るはずだった。

しかし、アンドール行きについては、少々後ろめたい気持がつきまとっていた。伯父夫婦は、できることならウストに近いサンジロンの病院で働いてくれることを望んでいるに違いなかった。

少しでも伯父たちが落胆するようであれば、決心を放棄する覚悟で、手紙を書いた。折り返し来た伯父の手紙は、ジゼルの卒業を祝い、カタールの地であるモンセギュールで働けるようになったことを喜んでいた。ジゼルとアンは手をとり合って嬉(うれ)しがった。

一九五五年の六月に看護学校を卒業し、二カ月間、トゥルーズ大学付属病院で研修を積んだあと、八月末に、ウストに帰った。

夏休みと復活祭とクリスマス、年に少なくとも三回は帰省していたが、学生時代としてはこれが最後の里帰りだった。サンジロンで、バスを待つ間、リセの校門の前まで行ってみた。毎日通った三年前がずっと昔のことのように思えた。ウストまで、バスの路線はアロック川とくっついたり、離れたりしながら走る。時々、木々の間から深い水をたたえた川面が見えた。川のむこうには牧草地が丘の頂上まで這(は)いのぼっている。死んだような平穏な風景だった。ジゼルは、目を閉じた。サンジロンの病院に就職したくなかった理由がはじめて意識にのぼってきた。リセ時代と同様に、この道すじを毎日往復する自分を想像することは耐えがたいことだったのだ。

伯父の家で、アンドールへ送る荷物をまとめた。九月一日付で病院勤務がはじまるために、一週間程度の余裕しかなかった。

伯父は、モンセギュールならトゥルーズよりも近い、ピレネーを越したすぐむこうだから、と言った。伯母は、近いはずだけれども、この年になるまで行ったことがない、お前がむこうに居るうちに一度はアンドール見物をしてみたい、と笑った。六十を少しすぎたばかりの伯母は、一、二年ほど前から、手足に細かいふるえが出現していた。話すときも、顔が小さく揺らぎ、声の抑揚が乱れた。

出発の前夜、ジゼルはミシュランの地図を広げて、居間の絨毯の上に坐った。トゥルーズで、アンと何度もみた地図だった。ウストを嬉々として去る気持が伯父たちに対してすまないと思い、初めて見る風を装った。アリエージュ県からアンドールに入国するには、いったんタラスコンへ迂回して、国道二十号沿いに、パ・ド・ラ・カズの税関を通過するのが普通のルートだった。

伯父は何を考えたのか、お前を国境まで送ろう、と言った。

「国道なんか通らずに、ピレネーを縦走してみないか」

伯父はジゼルの心の動きを見届けるように、パイプをふかす手をやめて、こちらをみつめていた。ジゼルはリセの初めの頃、伯父に連れられて、何度も山歩きをした事を思い出していた。アリエージュという地方に嫌悪を覚えるようになって以来、山には興味を失っていたことに気づく。

「いいわ。ピレネーから、アリエージュとアンドールの両方を見渡すのもきっと素敵だわ」

ジゼルは喜んで言った。

八月二十八日の朝、ウストを発った。伯父は山行きの装備をすると、七十近い老人とは信じ難いほど、若さをとりもどした。

夕方、千七百メートルの高さにある山小屋に着いた。七合目にあたり、薄く緑をかぶった岩だけの山肌が前方に伸びあがり、右の方には鋭いピラミッドの形をした標高二千八百三十八メートルのモンヴァリエが青く見えていた。

伯父は山小屋の外で、途中で射止めた野兎（のうさぎ）の皮をはぎ、骨を猟犬に食わせ、残りでスープをつくった。火の傍で、伯父はうまそうにスープを飲み、焼いた肉を食べた。ジゼルはその皺（しわ）の多い顔に、記憶の中の父親の顔を重ねあわせていた。

「これで、お前も一人前だね」伯父は赤黒い顔をあげて言い、スープをひと口飲んで、「これでダニエルに申し訳がたった」と、ぽつりと言った。

ジゼルはじっと唇をかみしめていた。

「もうこれから先は、お前の思う通りにしたがいい。おれたち年寄りのことは構わなくていいのだよ」

伯父が寝ついてしまったあと、ジゼルは眠れないまま、丸太小屋の低い天井をみつめていた。自分が非情なことをしているのではないかと思った。残り火の脇（わき）で、猟犬のプッサンが時々眼をあけては、彼女の方を心配そうにうかがっていた。

いずれは伯父夫婦のもとに帰ろうと思った。二年先になるか、三年先になるかは分らない。ウストの村、アロックの流れに対しても、自分の心がかき乱されなくなるときがくるに違いない。そのとき、自分はウストに戻り、伯父と伯母を最後までみとろうと決心するジゼルの耳に、小屋の外を吹く風の音がいつまでもきこえた。

明け方近くになっていつのまにか眠っていたようだった。日の出と共に伯父から起こされた。

パ・ド・ラ・カズから五十キロ離れたロスピタレへ下っていく山道に出たとき、尾根からアンドールが見えた。山が高い波のように幾重にもうねり、波の谷間に、町が点在している。空がすぐ上にある。床が高く、天井の低い国だと、伯父は笑い、革袋にはいった葡萄酒(ぶどうしゅ)でのどをうるおす。液体が針金のような線になって巧みに伯父の口にはいっていった。

伯父はジゼルをロスピタレまで送り、自分は来た道を引き返していった。ジゼルはその日のうちに、パ・ド・ラ・カズまでバスで行き、一泊し、翌日、国境を越えて、夕暮近くモンセギュール病院に到着した。

宿舎には、アンが出迎え、男のようながっしりした腕で彼女を抱きすくめた。

3

モンセギュール病院は、アンドールの北寄りの高原地帯にあった。標高千百メートルのため、暑さは全く感じさせなかった。

五階建の病棟が三つ並び、ベッド数は千を超えていた。質量ともにアンドール一の総合病院の名にふさわしく、ジゼルが居たトゥルーズの大学病院にも見劣りはしなかった。フランス語とスペイン語が相半ばして使われ、医師も、アンドール出身以外にフランス人、スペイン人、それに、アメリカの資金援助のせいもあって、米国人医師も相当数勤務していた。

ジゼルは志望通り内科に配属されたが、アンは外科に回された。敷地内の看護婦宿舎は完全に個室制になっていた。三交代の勤務が二週間おきにまわってきた。勤務を終えて、自室に帰りつくと、疲れが身体(からだ)中の毛穴からふき出してきた。食事をかろうじてすまし、机について教科書をひろげているといつのまにか寝入り、夢のなかで患者から自分の名を呼ばれてあわてて目をさました。反射神経だけで生きているような毎日が続いた。

唯一（ゆいいつ）のなぐさめは、モンセギュールの城だった。北側に位置した病室なら、どこからもそれが見えた。誰もがモンセギュールにまつわる歴史は知っていたし、今でもカタリスムを信仰している村はいくつか存在していた。病人たちは、朝目が覚めると窓を開け放し、ベッドから城砦（じょうさい）を遠く眺めて、命が一日永らえたことを確かめた。実際、朝日をまともに受けたモンセギュールの城は、ルビーのように光った。カタールの修道僧たちが、地形を十分に計算しつくした上で建てたといわれる城は、見る人に生きる希望のようなものを与えた。

だから、十月の終りに、城壁から飛び降り自殺があったときは、誰もが驚き、悲しげに首を振った。それが微生物研究所の米国人だと知れわたると、声をひそめて噂（うわさ）しあった。

病院の敷地のはずれに、一番スマートな微研の建物があり、そこには多くの米国人研究者が勤務していた。アンドールの中で、アメリカ人の租界地のような様相を呈していた。ワクチンと抗生物質の製造が主な仕事らしかったが、その割には出入りする研究者の数も、行き来する医療用トラックの数も多すぎ、何か全く別の研究が行われているのではないかという疑惑は、病院関係者の間に浸透していた。

しかしジゼルの気持にこだわりを残したのは、ひとが自殺する行為そのものだった。

それは、自分の使命とする職業に、真向うから挑戦するものだった。自分は生命をかけがえのないものと思い、どんな小さな生の灯でも消さずに燃え続けさせることに、毎日を賭けている。一方で、燃えさかる炎に自ら水をかけて命を絶つ人間がいる。ウストの河原で、恥辱を受けたときでさえ、自分は死を考えなかったのだ。

アンドールの十一月は突き抜けるような青い空の下で、雪をかぶった山の斜面が光るのだが、ジゼルの気持はいつまでもうっとうしかった。病院の生活に慣れはじめ、時間に余裕ができたはずなのに、仕事に圧しつぶされる感じが残った。行為と行為の間の切換えがきかずに、べっとりとした区切れのない時間が目の前を閉ざしている。どこから手をつけていいのかわからなかった。

病棟にいる間は、命令通りに動くだけでよかったが、勤務を終えて宿舎に戻ると、白衣も脱がず、椅子に坐ったまま一時間も二時間も過ぎる。食事の仕度にとりかからねばと思っても、身体が動き出さない。どんな些細なことでも、新たな行動をおこすことが、鉛の玉を持ちあげるように億劫なのだ。

寝つきが悪く、眠りの浅い日がつづいた。鉄の鍋をかぶったような頭のなかで、思いは過去へ過去へとどうどうめぐりを繰り返す。物心つかぬうちに母を失い、やっと自分の世界が芽ばえた時に父に死なれた不運が悔まれた。アロック川での悪夢が嘲笑するように点滅する。年老いた伯父夫婦を残して来たことは、許しがたい罪だった。看護婦としての自分の能力はゼロに等しかった。

クリスマスにもついにウストに帰らなかった。帰省する決心がつかぬまま、ずるずると日が経っていったのだ。帰らなかったことが、更に重い罪悪感になって神経をさいなんだ。

伯母宛ての毎月の送金はまがりなりにも果していたために、伯母からはそのたびごとに長い心のこもった礼状が来た。手紙で、ジゼルは、伯父が風邪をこじらせて肺炎になりかけ、以前のように山歩きが出来なくなったことを知った。自分の身の周りで、なにもかもが悪い方へ回っていく。みんな自分のせいだった。

アンや他の同僚が心配して、気晴しに町まで出かけることを勧めてくれた。だが、町は病院以上に陰鬱だった。アンたちは町で恋人と会う楽しみがあるが、自分には何の目的もないのだ。

一月、二月と、暗いトンネルをくぐっているような気分だった。夜には必ず雪が降り、三日に一度は吹雪いた。朝が来ても何にも感じない、眠れない夜をもうひとつ背負いこんだ重さが食いこむだけだった。

三月になって、降る雪の勢いが変った。モンセギュールは、白い乳房の形で、柔らかく垂れた空に触れていた。雪を割って芽を出せそうな自信が、ようやくジゼルにもどりつつあった。不規則な病棟勤務からはずして貰って、外来担当になったことが結果的には良かった。

外来の仕事は、内科部長が外来患者を診察するのを助ける役目だった。米国人である内科部長は、医者というより思索家といった感じの人柄で、それがジゼルの陥ち込んだ気持をひきあげてくれたようだ。専門は神経内科だが、南仏の方言であるオキシタン語の研究でも博士号をとっていた。同じオキシタン語でもジゼルがウストで聞き覚えたものと、他の地方のものとは違っており、彼はその理由を豊富な例をとって教えてくれた。診察の合間に交わされるそうした話は、医学知識以上に興味をそそるものがあった。

患者は一日にほぼ六十人。きりきり舞いする程の忙しさではなかった。

四月のはじめ、その日最後の受付になった患者の第一印象を、彼女ははっきり覚えている。診察室のドアをあけてはいってきた彼をみた瞬間、中国人だと思った。トゥルーズでは何度か中国人をみていたし、何よりも父親が残した本で、彼らの特徴は知りつくしているつもりだった。

平べったい肩からひょろ長い腕がつき出ていた。年は二十代半ばか、あるいはとうに三十を越しているようでもあり、判然としなかった。絶えず口許（くちもと）に微笑のようなものがただよっている。

部長はパンツひとつになった青年を丸椅子に坐らせたまま、添書に目を通していた。付添ってきた眼の鋭い初老の男が診察室の隅に坐って、じっと青年の様子をみつめていた。

「あなたの名前は」

と、部長は青年の方に向きなおって英語で尋ねた。

「ク・ロ・ダ・タ・ケ・ヒ・コ」

青年は一語一語区切って発音した。

「自分の名をここに書いてくれませんか」

青年はペンを受け取って顔を机に近づけて書く。ジゼルは彼の肩越しにそれを眺め、一種おごそかな気分におそわれた。青年の書いたものは、例の、糸の結びを縦に連ねた東洋の文字だった。

「我々に読めるようには書けないのですか。つまり、ラテン字体で」

と、部長は困惑気味の微笑を浮かべて言った。青年は力なく首をふる。

「書けないのですね」

「カ・ケ・ナ・イ」

彼は一語一語石を並べるように答えた。

「ベルナール所長、こんな風になったのは正確にはいつなのですか」

部長は部屋の隅に看守のように寄りかかっていた男に訊(き)いた。

「今週の月曜からです。月曜の朝、頭が割れるように痛いといって、私に電話をして研究室に出て来なかったのです。午後になって私が出向いてみると、どうもおかしい。こちらがしゃべることは分るようだけど、ものが言えない。どうしたのかと聞くと、盛んに頭を指さし、口をもぐもぐさせる。頭痛なのかときくと、ズッウと言う。冗談なのか夢うつつなのか分らぬので、睡眠剤をやってそのまま寝かせておいたのです。するとタ方にはよくなったらしく、食堂に降りてきたものの、なんとなくまだ様子がおかしい。同僚の話をにやにやして聴いているだけで、こちらから話しかけても、もぞもぞと訳の分らぬことをしゃべるだけなのです」

と、男は流暢(りゅうちょう)な英語で答えた。ジゼルはそのとき、患者が微生物研究所の研究員であり、男がそこの所長だと知って、ふとモンセギュールで自殺した所員のことをおもい浮かべた。

「これは何かね」

部長は自分の万年筆を青年の目の前につきたてて言った。青年はひるみながら口をぱくぱくさせ、十秒程して、シャンパンの栓をぬくような調子で、「ペ、ペン」と答えた。

部長はうなずいて懐中時計をとり出す。「これは」「マルイ、マルイ」青年はまるで幼児のように答える。

「あそこにおられる所長の名前は」

「べべべべ……」

上司の名さえ言えなくなった部下の姿を、所長は憮然（ぶぜん）とした表情でにらみつけていた。

「べべべべ……」青年は上司の方をみながら、必死でしゃべろうとする。

「もういい」部長が制止する。「ここは一体どこだと思う？」

「五階ノ、アア行ッテ、コッチデ、アア」

青年はしきりに右手を動かして言った。〈診察室〉ということばを探しているのらしかった。ちらりとジゼルの方にむけた黒い眼がひどく悲しげだった。

「それでは、あなたの右手の親指はどれですか」

部長の診察は次第に熱を帯びてくる。青年は自分の両手を顔の前にもってきて、自信なげに右の親指をつきだした。

「三プラス五は」

また青年は指を折りはじめたが、いつまでも結果はでなかった。

「日という字を書いてみて」

と言われても書けなかった。

「この語は何と読みますか」

部長が書いてみせた、海、鏡、春のうち最後の単語を指さして、「スプリング」と読んだ。

「手中の一羽は藪の中の二羽の価値がある、と言ってみて」

「アバババ……」

まるで言葉の海に溺れかけている人間をみているようだった。部長が脳神経の運動と知覚を検査している間も、ベッドの上に仰臥した青年は、上司の方を盗み見してはべべべべと言い続けた。

ジゼルは青年のからだを診察台からおこしてやりながら、職業的な冷静さを失いかけていた。痴呆にみえる東洋の青年が、どこか自分と通じる心の病をもっているように思えてならなかった。

「どうでしょうか」

　診察の一部始終を鋭い眼つきで見守っていた所長が尋ねた。

「言語中枢の運動野に障害があります。感覚言語の方は無傷に近いと言えますし、多少の見当識の低下が加味されています。病巣が大脳皮質にあるのか、内包にあるのかは、精査をしてみなければ分りません。身体的な面は動作が反応性にやや制止されているだけで、病的とは言えません」

「原因は」

「発症状況、経過からみて、多分、血管性のものでしょう。かなり難かしいケースです」

　と、部長は額に手をやったまま答えた。

「治癒は期待できますか。治療が長びくようであれば、研究所としても、プロジェクトの大幅な変更をしなければならないのですが」

「なんとも言えません。ただ、早急にリハビリテーションを開始しないと、失われたものの回復が望めないことだけは確かです」

　部長の沈んだ声に深くうなずきながら、所長はもう一度、胡散くさい視線を青年の方に這わせた。

即日入院となったその青年とは、それ以来顔を合わせなかったが、忘れることはできなかった。

病棟詰めの同僚と顔を合わせた時、それとなく、青年の容態を聞き出した。答えはいつもかんばしくなかった。医者や看護婦と口をきかない、他の患者との交流もない、自発性がみられない、など病気の改善を示すようなものはなかった。

一方、ジゼル自身の沈鬱な気分は次第に軽くなっていた。枯れかけた草花が雨で蘇生(そせい)したように、瑞々(みずみず)しさが感覚の先によみがえりはじめた。六月の定期配置換えで、再び病棟付きになったとき、十分働いていける自信があった。

神経科の勤務を選んだのは、青年がそこに入院しているからであった。神経科を希望する看護婦は少ないために、ジゼルの願いは難なくかなえられた。

カルテを改めて見直し、彼がタケヒコ・クロダと言い、三十二歳、日本人であることを知った。職業欄は、ウィルス学者と書かれ、括弧して「優れた」という形容詞が付記されていた。

病名は「運動性失語症」及び「脳血管障害」とつけられていたが、主治医の日常の診察記録には困惑ぶりが如実(にょじつ)にあらわれていた。「緘黙(かんもく)が拒否症によるものか、器質的変化によるものか定かでない」「回復への意志欠如は、根底に精神疾患があることを示唆するのではないか」などと記されている。

ジゼルがはじめて部屋にはいっていったとき、タケヒコはベッドに横になっていた。険しい視線がジゼルを認めてわずかに和らいだようだった。

「久しぶりだわね。今日からここの勤務になったから、毎日お手伝いできるわ。なんでもいい、して欲しいことがあったら言って頂戴」

ジゼルは余り上等でない英語で話しかけたが、タケヒコはすぐに視線をそらして、天井をみつめた。

外来で最初に会ったときよりも痩せてみえた。はにかみがちな微笑が消え、光のない眼からは何の感情も引き出せなかった。

主治医も看護婦もタケヒコの無気力と緘黙には困りはてていた。こちらの言うことはある程度理解はしているようだった。シーツ交換の日だから廊下に出しておくように命じると、その通りにはする。

ジゼルに対しても同じことだった。最初の日、少し緊張を解いてくれただけで、それ以上の発展はなかった。一秒でも視線が合えば良い方だった。心の通い合いのきざしが見えた瞬間、タケヒコの方から固い殻を閉ざした。

それはもはや失語症の患者とは異質のものとしかいえない。失語症にはしゃべろうとする努力と依存心がある。看護スタッフが手をさし伸べると赤ん坊のようにすがりつき、ひとつひとつ言葉を覚えていくようになる。花を指さして何度も発音させるうちに、目の前に現実の花がなくても、ハナと言えるようになる。こうして何カ月もかかって言葉の束を太くしていき、失われた対話の世界を引き寄せていくのだ。

タケヒコにはそれがなかった。言葉を拒否することで外界とのかかわりを遮断している。日がな部屋にこもって、交流を拒み、看護婦がドアをノックしてはいっていくと、一瞬おびえたように身を固くした。

「あの日本人の病室には、はいりづらい。まるで自分を死刑執行人のような目つきで見返す」

と、看護婦たちはぼやいた。いきおい、ジゼルだけがタケヒコの部屋に行く機会が増えた。

「あなたは科学者なのね。どんな研究をしていたの」

ジゼルがきくと、タケヒコは黒い眼で彼女を刺すように見たあと、窓の外を眺めて返事をしない。

「ウィルス学って、とても難かしいのでしょうね」

ジゼルが顔をのぞきこむようにして言うと、タケヒコの口許がゆるみ、自嘲気味の微笑がうかんだ。それを機に、ジゼルは幼い頃読んだ東洋の本の話をはじめた。中国の本とばかり思っていたなかには多分日本のものもあったのではないかという気がして、タケヒコに説明を求めるような気持でしゃべったのだ。タケヒコは驚いたようだった。じっとジゼルの顔を凝視したままだった。ジゼルが部屋を出ていくとき、はじめて見送ってくれた。

その日を境にして、タケヒコの態度に変化がでてきた。便通の有無を聞いても答えてくれなかったのが、ジゼルにだけは手ぶりで示した。睡眠時間は指の数で答える。ジゼルが病室にはいっていくと、彼の顔が輝くのがわかった。思いつきに過ぎなかったが、鉛筆と小さなメモ帳をタケヒコに渡して、何でもいいから口で言えそうもないことは、紙に書くようにいった。毎日訪室するたびにメモ帳をあけてみたが、白紙のままだった。ジゼルはそれきりメモのことは忘れてしまった。

診察のときに付添っていた鷲鼻（わしばな）の所長は、週に二回はタケヒコの病室にやってきた。部下の病状を気づかって見舞いに来るというよりも、偵察に来るという様子だった。三十分ほど病室に居て退出するのだが、そのあとタケヒコは蒼（あお）ざめた顔を強（こわ）ばらせているのが常だった。

治療者としては、平易な言葉で患者に話しかけることによって、機能不全に陥っている脳の深いところにある記憶を刺激する必要があった。例えば、植物状態にある患者に対して、以前に交際があった懐しい知人の肉声が、ふと意識の回路をつなぐことだってあるのだ。ジゼルは主治医を仲介役にして、タケヒコの過去に関する資料を所長から入手しようとしたが、無駄だった。日本でどういう生活をしていたのか、どういう経緯でアンドールにやってきたのか、所長の口から聞きだすことはできなかった。ジゼルは、現在の時点でのかかわりあいを手がかりにして、タケヒコに接近する以外、何の方法も講ぜられないのだ。

朝、ジゼルが部屋にはいっていくと、枕頭台の上に、十日程前に渡したメモ帳が置かれていた。手にとって開くと十頁ほど、絵や文字が書いてある。

「タケヒコ、書けるじゃないの」

ジゼルは思わず声をあげてタケヒコの方を見た。彼もメモをのぞきこんで笑っている。

スケッチは山や家を描いていた。漢字らしい文字が散りばめられている。

「日本の景色なのね。この点線は雪が降っているところでしょう。でもわたしにはこの字の方は読めないわ」

タケヒコは何も答えず微笑していた。

「じゃ、わたしの名を漢字で書いてくれない」

とジゼルが言う。

タケヒコはしばらく考えていたが、メモ帳の新しい頁に、三つの文字を書き込んだ。

「ひとつひとつの文字に意味があるのでしょう」

ジゼルが言うと、タケヒコは漢字の下に英語をしるした。

「慈愛を施す宝石、って意味なのね」

ジゼルが頬をそめるのを、タケヒコは嬉しそうに眺めている。

ジゼルがこのことを他の看護婦に告げると、彼女たちも大いに興味を示して、タケヒコの病室を訪れた。彼は看護婦のいる前では書こうとせず、翌日行ってみるとメモ帳に頼んだ名が書かれていた。

七月にはいって、珍しく二日の連休がとれた。アンが自分の生れ故郷に来ないかと誘ってくれた。アンの実家はスペイン国境に近いサンジュリアにあり、毛皮の集散地で著名なところだった。時節柄、毛皮製品の値が低く、冬用のコートを買っておきたかった。

「ジゼル、あなたはすっかり元気になったわ。トゥルーズに居た頃以上よ。あの頃だって、自分から洋服を買おうとなんか言わなかったもの」

とアンが妙なところに感心した。

二人は何軒かの名の通った毛皮屋をまわってみたが、気に入ったのは見つからなかった。材質が良い割に、仕立てが野暮ったい。ジゼルはアンをひとりにして、毛皮屋と店先を並べている陶磁器店を気晴しにのぞいてみた。

店内は青い磁器の壁飾りや、ペンダント、壺、花器、人形などが雑然とおかれていた。陳列ケースの後の棚に乗った、濃紺に白模様の花瓶がジゼルの目をひいた。四十センチに満たない卵形の美しい品物だったが、彼女が注目したのは、紺の地肌に描かれた白い文字だったのだ。模様風にくずされてはいるが、タケヒコの国の言葉に違いなかった。

値段は、毛皮を買うための予算を少し上回るだけだった。ジゼルは躊躇しなかった。仮りに店の主人が、巧みな話しかけで値引きしてくれなかったとしても、買っていただろう。

アンは、ジゼルが毛皮を諦めて、変哲もない花瓶を買ったのを知り、二の句がつげなかった。

「あなたって、どこか底知れぬところがあるわ」

と言った。

旅行から帰って病院に出勤した日、忙しかった。夕方近くになってやっと手がすき、ロッカーに入れていた花瓶をもって、タケヒコの病室を訪れた。

「はい、これはお土産。サンジュリアでみつけたの。なんと書いてあるか分らなかったけど、多分あなたなら読めると思って」

タケヒコは寝たまま、例のあいまいな微笑を浮かべ、ジゼルと花瓶を交互にみつめていたが、すぐに上体をおこしてそれを受け取り、「アリガトウ」と言った。そして品定めをするように、花器を眺めた。

「陶器店の主人は、中国語だと言ったけど、ほんと？」

ジゼルの問いに、タケヒコはうなずく。

「じゃ、あなたには読めないの」

とジゼルは落胆して言う。

「ヨメル」

タケヒコはぽつんと返事した。

「ほんと、読んでみて」

ジゼルはわざと甘えた声を出した。

タケヒコはベッドの上で姿勢をただし、花瓶を両手ではさんでいた。ひと呼吸おいて、彼の口から、なめらかな声が発せられた。跡切(とぎ)れのない言葉のつながり。これまでのような片言ではなかった。唱(うた)うような、ちょうどラテン語の讃美歌(さんびか)の抑揚を思いおこさせた。

タケヒコの手の間で回る磁器の文字が、低い声に化して、ジゼルの耳に響く。言葉を失っていた患者が、いま、流れるように母国語をしゃべっている。決定的な瞬間に対面しているのだと彼女は自分に言いきかせる。

「素敵だわ。どういう意味かしら」

タケヒコが読み終えたとき、ジゼルは聞いた。

タケヒコはジゼルを数瞬凝視したあと、ベッドに仰向けになり、目を閉じた。

山水の美しいこの地から、君はあてもなく旅立っていく。

枯草が風に吹かれ、球になって、荒涼たる原野をころがっていく。

点々と散らばっている痩馬が啼(な)いている。

私の心は落日のように寂しい。

タケヒコの英語がジゼルの脳裡(のうり)にひとつの情景を描き出していた。

「タケヒコ。あなたはしゃべれるのよ」

ジゼルの声が、しずまり返った部屋の空気を引き締める。

タケヒコの細かく震えるまぶたの下から、涙があふれ、すっと耳の方におちた。いつのまにか、ジゼルも泣いていた。

「ジゼル、お願いだ」

タケヒコの真剣な目がジゼルを見上げている。「このことを誰にも言わないでくれ。これまでのことが詐病（さびょう）だと分れば、ぼくは合衆国に送り返されて、間違いなく殺される」

ジゼルはタケヒコの告白を遠い耳の底で聴いていた。

「あの研究所での仕事から逃れるのには、この手しかなかったのだ。あのまま続けていれば多分ぼくは狂うしかなかった。この病院が最後の逃避場でないことは分っている。いつかは、あの研究所に連れ戻される日が来るだろう。まだその日までには時間がある。それまで、どう身を処すか考えておくつもりなんだ。だから、きみにはこのことを誰にも言って欲しくない。わかってくれるね」

ジゼルは涙をためたまま、大きくうなずいた。

「ありがとう」

タケヒコは彼女の手をとって握りしめた。

4

翌日から、ジゼルの巧妙な芝居がはじまる。平静を装ってタケヒコの病室を訪れ、低い声で話をした。話声が漏れるのを恐れて筆談することさえあった。詰所に戻ると、看護日誌に「著変なし。常同的返答あるも、自発言語なし」と書きつづけた。

ベルナール所長は相変らず週二回、時間を決めずに見舞いにきていた。タケヒコが病室に居ないと、血相をかえて看護婦詰所に駆けこみ、行き先を問いただした。そんなときタケヒコは外に出て、精神科病棟の患者たちが花壇の手入れをするのに加わっていた。

ヴァカンスが間近かだった。病院の職員は全員三週間ずつの休暇を強制的にとらされた。七月から九月まで、適当に時期をずらして、かちあわないようにする。ジゼルは一番最後のローテーションで休みをとるようにした。タケヒコと会えなくなることが辛く、できることなら休暇を返上しても良かったのだ。

アンドールの八月はそう暑いものではない。ピレネーの連峰から吹きおろしてくる風は涼しく、高原特有の清澄（せいちょう）さを失ってはいなかった。にもかかわらず人々は憑（つ）かれたようにスペインやブルターニュの海に繰り出していった。アンも恋人と地中海へ発（た）った。

病棟は静かだった。医師や看護婦の数は四分の一ほどになっていたが、特に重篤（じゅうとく）でない患者は一時退院させていたせいで、看護に忙殺されることはなかった。タケヒコと会える毎日が新しい喜びだった。長かったうつの病期がいまはあとかたもなく消えさっていた。

三日に一度まわってくる夜勤も楽しみにかわった。宿直の日、ひととおり患者の様子をみ終ると、最後にタケヒコの病室に行った。

「今日の昼間、所長が来た」

ジゼルを見るなり、彼は暗い顔で言った。

「所長はどうやらぼくを合衆国に送還する魂胆らしい。回復の見込みなしとみきりをつけたんだ」

「だめよ、送り返されたら何をされるか分ったものじゃない」

「そこで頼みがあるんだ。登山に必要な道具を一式揃（そろ）えてくれないか。お金はここにある。好きなだけ使っていい」

「どうするつもりなの」

ジゼルは声を低める。

「ピレネーを越えようと思うのだ。フランス領まで行けばなんとかなる」

「でも、国境には国境警備兵（カラビニエ）がいるわ。密出国なら、パ・ド・ラ・カズの税関を通った方が無難だと思う」

「国道沿いでフランスに逃げこめる見込みはまずない。ぼくの写真は、特に要注意人物として、カズの税関に配布されているはずだ。まして、日本人だから検索の眼を逃れることはまず不可能だろう。残されたルートは、ピレネー越えだけだ。国境警備兵（カラビニエ）に見つからずに、うまくフランス領に逃げこめたら、きみに連絡する」

「わたしも一緒に行くわ」

ジゼルは敢然と言い放った。

「きみは逃げる必要なんかない」

「いやよ。一緒にいくわ。あなたひとりで山越えは無理よ。夏が過ぎれば、ピレネーはもう冬のはしりなのよ。初雪がもうすぐやってくる。そうすれば、よほど地理に慣れた人でも、むずかしい」

ジゼルは必死に食いさがった。かぶりを振っていたタケヒコは最後のところで折れた。

「すまない。万が一のことがおこっても、きみをまきぞえにはしないつもりだ」

「何を言っているの。成功させるのよ。綿密な計画さえたてれば、きっとうまくいくわ」

ジゼルは自信ありげに言う。いつかはこういう日が来ることを予想していたような気がした。

「明日は準夜勤務だから、夜八時頃来るわ。それまで、お互いに計画を練っておくのよ。いいわね」

ジゼルは片目をつぶってみせて、勢いよく部屋を出た。

二日がかりで、脱出計画の細部まで固めた。タケヒコが病院を抜け出す日は九月十五日の病院開設記念日と決めた。研究所と病院が合同して仮装舞踏会をやり、研究員もこの夜だけは羽目をはずして酒をあおり、翌日は休日になっていた。決行の日はこの日以外に考えられなかった。

ただそれまで一カ月近くある。その間に所長がタケヒコを送還することを決定してしまえば、万事休すだ。なんとか所長の決断を引き伸ばさねばならない。

「タケヒコ、所長に希望を与えるのよ」

とジゼルが提案する。「病状が少しずつ改善しているように見せかけるのよ。片言しゃべってみればいい。きっと、このまま様子をみてみる気になるはずだわ」

名案だが、ひと月の経過中にどの程度ずつ回復していくかが難かしい。

「外来でやってみせたときの演技力があれば十分よ。内科部長だってだまされたのだから」

とジゼルはタケヒコを鼓舞した。

残る問題は、ピレネーのどのルートを通るかであった。要所要所は国境警備兵が常駐している。間道を探さねばならないが、ジゼルひとりの力ではどうにもならなかった。

ジゼルはウストの伯父に手紙を出した。久しぶりに長い文面を書いた。ヴァカンスを利用してピレネーに登山する友人がいるが、国境を秘かに越えられるか否か賭をしている。自分は可能性アリの方に賭けたから、是非成功させてやりたい。良いルートがあれば教えて欲しいという内容だった。

折り返し、伯父からは朱筆で書き込みをした細かい地図が送られてきた。可能性は五分五分だと伯父は書いていた。晴れていれば、まずカラビニエの望遠鏡の視野の中にとらえられるから、ガスのかかった時を選ぶか、夜を利用すること。但し、それだけ、転落事故や道に迷う確率は増えること。カラビニエから追跡されたら決して逃げてはいけない。逃げる者は射殺していい法規があるから、立ち止まっていさぎよく検問を受けること。その際、誤って国境を侵したという弁明が成立するためには、武器、麻薬及び密輸の対象になる物品は一切携帯していないこと、などを忠告してくれていた。

伯父の手紙は有難かった。しかし、タケヒコの場合、カラビニエに検問を受ければ万事休すだった。問合せがモンセギュール病院にいき次第、脱走が明るみに出る。

ジゼルは伯父に礼を言い、九月十七日前後にウストに帰る、と書いた。

あとは車をどこから借りるかだった。伯父のよこした地図によると、国境を越える地点はモンヴァリエから、トリスタイナ山寄りに十五キロの地点だった。二千数百メートル程度の高さである。病院からモンセギュールの裏側に回り、エルセラの町を抜けて、トリスタイナへ登る麓(ふもと)の村まで約八十キロある。車で二時間の距離だった。ジゼルは運転ができなかったが、タケヒコはできるという。

八月二十五日に地中海から帰ってきたアンに、車を貸してくれるよう話をした。彼女の恋人が中古のプジョーを持っていたからだ。

「はじめの一週間はウストに帰って、あとの二週間をスペインで過ごそうと思うの」

と、ジゼルは彼女にはじめて嘘をついた。

「あなたが自分で運転するの」

「いとこがリセを出たばかりで、免許を持っているの。彼がスペインをみたいって手紙をくれたので、一緒に行ってやろうと思って」

本当のことを打ち明けたい衝動を冷静に抑えつけながら、ジゼルは言った。

「まかしといて。そういうことなら」

アンは真黒に陽焼けした顔をほころばせた。

脱出の日までの二十日間が非常に長く感じられた。ジゼルの休暇は九月六日からだった。それまで、普段通りの勤務をせねばならない。

「今朝、診察のとき、少しものを言ってみたんだ。ふたことぐらいね。すると、午後になって、所長があたふたと見舞いに来た。引き伸ばし戦術はうまくいきそうだ」

と、タケヒコは言った。

「余り急に良くなると却って仇になるから、常に病人意識を忘れずにやるのよ。それから、体力づくりも秘かにしておかないと。二千メートル級を越えるのだから」

休暇の前日、ジゼルはタケヒコを訪室して最後の確認をした。

「明日からここに来ないわ。みんなには、一週間だけフランスに帰るって言ってある。

エルセラにホテルをとって、そこで山越えに必要なものを買って用意しておくつもりよ。病院宿舎には十四日に帰ってくるけど、あなたのところには行かないわ。怪しまれるといけないから。だけど、あなたの方で準備OKということを知らせるために、病室のカーテンを半分だけ引いていてくれない」

タケヒコはうなずき、立ち上がって、ジゼルがプレゼントした花瓶を手渡した。

「これをどうするの」

「持っていくつもりだ」

「無駄よ、重いばかりで」

ジゼルは言った。

「心配いらない。運ぶのはぼくだから。きみとぼくを結びつけてくれたものを、置き捨てていく訳にはいかない」

タケヒコはジゼルを凝視(みつ)めて言った。

「分ったわ。リュックの中につめこんでおくわ。じゃ、十五日の夜七時、病院の駐車場の西の隅で待っている。あそこなら街灯がこわれていて暗いから。鼠色(ねずみいろ)のプジョーよ。エルセラに居る間に、アンに電話して、それとなくあなたのことを聞くことにする」

次の日、ジゼルは預金を全額おろして、エルセラに発った。タケヒコが隠し持っていた金は、エルセラから、サンジロンの銀行に振り込んだ。タケヒコが一年間生活していくには十分な額だった。

三日間を食糧品や装具を買い入れることで費した。

四日目に、モンセギュール病院のアンに電話した。

「久しぶりのウストの空気はどう。伯父さん夫婦は元気でしょうね」

快活な声が受話器のむこうでしゃべっていた。「あなたが気にしていたタケヒコ、奇蹟（きせき）的に回復して、午前中だけ、仕事慣らしのため、研究所に通うことになったわ。あなたがヴァカンス旅行している頃に退院じゃないかしら」

エルセラでの最後の二日は、トリスタイナへ登るルートを踏査した。ひとり身では自信がないから夜営はせず、第一日目は、麓の村まで行き五合目まで登り、一たん下山して、村で一泊し、二日目に尾根近くまで行ってみた。五合目までは楽な道だが、それから先は岩場が多く難渋した。しかし天候が良く、視界が良い限り、二千数百メートルの標高まではなんとかたどりつけそうな感じを持つことができた。

十四日の午後、ジゼルはモンセギュール病院の宿舎にもどった。アンの恋人はすでに車を駐車場にとめていてくれた。

「鍵は渡しておくわ。勤務があるから明日見送りはできない。大いにスペインを楽しむことね」

とアンは言った。彼女はタケヒコを一度見舞うことを勧めたが、ジゼルは断った。彼の病室のカーテンが半分閉じられているのを、既に確かめていたからだ。

十五日の夕暮、駐車場の隅に照明がつき、来賓として記念祭に招かれた名士たちの車が十数台とまっている。ホールのある建物から、スペイン舞踊団の活気に満ちたリズムがきこえていた。ジゼルは人目につかぬよう、シートに身を沈めてタケヒコを待った。

約束の七時を過ぎてもタケヒコは姿をみせなかった。所長が計画を見破ったのではないかという疑念が、ジゼルの胸をしめつける。いまにも、フラメンコの音楽が中断し、サイレンが狂ったように鳴るなかを、タケヒコがよろめきながら飛び出してくるような気がした。ジゼルは薄闇のなかでまばたきもせず、夜光虫のようにほのあかるいビルディングを凝視していた。

七時半、病院の陰からあらわれた細い人影が、まっすぐ車の方に近づいてくる。タケヒコだった。ジゼルは自分の胸の動悸だけを聴いていた。

車のドアをあけて、運転席に身を入れたタケヒコの顔は蒼ざめていた。きらきら光る眼がジゼルを吸いよせるようにみつめ、伸びた手が肩を力強くひきよせた。タケヒコの唇を冷たく感じたが、それはジゼルの身体が燃えはじめていたせいだろう。激しい抱擁のあいだに、ジゼルはかすかに薬品の臭いをかいだ。

「誰にも気づかれなかったの」

「みんな、踊りに夢中さ。研究所にはいって、仙台ヴァイラスを始末してきた。一週間前から、時々研究所の方に出入りしていたからね」

「それはアンから聞いたわ」

「かねてから作っておいた強酸を、培養器の中に注ぎこんだんだ。ウィルスの断末魔の悲鳴を聴いたよ。日本で彼らとめぐりあって以来、五年間ずっと一緒だった。今後、彼らの同類がみつかることがあっても、ぼくが育てあげた仙台ヴァイラスは今夜限りで地上から姿を消した」

タケヒコは寂しく笑った。それから、フロントガラスのむこうにきびしい視線を注ぎ、エンジンをスタートさせた。

「ウィルスの代りにきみを得た」

タケヒコはつぶやくように言った。

車のシートには煙草の臭いがしみこんでいた。ジゼルはタケヒコの横顔と窓外を見くらべていた。熱っぽい安堵感が身体を包みこんでいた。

モンセギュールの山塊の下を通過するときタケヒコはクルマの速度をゆるめて、窓から頭上を見上げた。

「去年、ここで亡くなった人がいたわね」

ジゼルが言うと、タケヒコは、

「彼は、モンセギュールから飛び降りることで仕事に結着をつけた。一番確実な方法だ」

と低い声で言った。

クルセルの村から左に折れ、バリラ川の支流に沿って県道をさかのぼった。薄く広がった雲の裏を、半月が動いていた。

エルセラに着いたのは八時だった。ホテルの部屋で、旅装を整えた。

「今着ているものの上にセーターを着て、その上からジャンパーをつけるのよ。夜はとても冷えるわ」

ジゼルの指示にタケヒコはおとなしく従った。

リュックの中をもう一度点検する。地図、磁石、パン、葡萄酒、肉、罐詰、鉄網、フライパン、ガスコンロ、食器、寝袋、衣類、簡易テント。なかでも難物は、中国製の花瓶だったが、食糧を中につめこんで、リュックの底に入れた。はち切れんばかりに膨んだリュックを背負うと、ずっしりとした重みが両足に伝わった。

八時半にホテルを出て、車を更に登山口まで乗り入れた。無舗装の狭い道だった。車窓を木の枝が何度もかすった。

道は渓流にぶつかるところで跡切(とぎ)れた。Uターンできる広さの空地があり、タケヒコはその一角の丈の高い草の中に車をつき込んだ。ロックをかけ、キーは空き罐の中に入れて、右前輪の下に穴を掘って埋めた。

フランス領内に逃げこんだら、アンに電話をして、車の置き場所を教えるつもりにしていた。

渓流にかかる土橋を渡ったのが九時半だった。登山道がかろうじて見分けられる程度の暗さになっていた。ジゼルは不思議と切迫感にかられなかった。完全にタケヒコとふたりっきりでいられる幸福感の方が胸のなかを満たしていた。病院でのように、他人の耳目を気にして、声をひそめる必要もなかった。タケヒコ、と叫んで思い切り、彼の胸にすがってもいいのだ。四、五日前、同じコースを昼間ひとりで登ってみたとき、想像のなかではタケヒコと一緒だった。石に腰をかけて水筒の水を飲みながら、自分のそばに居るタケヒコを想像して、心がときめくのを覚えた。それがいま現実のものになっている。

「きみは山登りは得意なんだろう」

すぐ後をついてくるタケヒコが言った。

「リセの頃までは、伯父につれられてよく登ったけど、ここ五、六年は数えるくらいだわ」

「ぼくは平野育ちなので、せいぜい八百メートルの山しか登ったことがない。今日にそなえて、病院で身体を鍛えたつもりだけど、付焼き刃だったな」

仔羊(こひつじ)の背丈程の石がころがる、比較的なだらかな傾斜を三十分も登ったところで、タケヒコは早くも息をはずませていた。ジゼルはさり気なく歩調をゆるめ、何度もうしろをふり返った。タケヒコは分厚い登山靴を重そうにひきずっていた。

気温が急速に下降していた。立ち止まって息をつくと、待ちかまえていたように冷たい外気が首筋に入りこんだ。どこのものとも判別のつかない町の灯が、遠い闇のなかに浮いているようにみえた。ジゼルは不意に訪れてくる不安を打消すように、

「伯父は何度も国境を侵犯したらしいわ。獲物を追っているうちに、国境線を出たりはいったりするんだって」

と言った。タケヒコは小さく笑った。

タケヒコが疲労をさとられまいとして、必死で歩いているのが、ジゼルにはよく分った。タケヒコの口数が少なくなり、ジゼルが小休止を告げると、どっと腰を地面におとした。

すでに月明りだけでは進めなくなっていた。ライトで前方を照らしたが、暗いなかでそこだけが不自然に浮きあがり、周囲との比較がつけにくくなる。絶えず、道に迷っているのではないかという懸念につきまとわれた。

五合目の岩場まで三時間を要していた。岩の陰にテントを張った。枯木を集め、火をつくり、肉を焼いた。葡萄酒が、冷えた身体を内側から暖めてくれた。

タケヒコは、空腹を満たしたことで、いくらか元気をとり戻したようだった。

「なんとか、山越えができそうだ」

と笑ってみせる。

空は黒い板のようで、動くものは何ひとつなかった。勢いのない火が、枝から枝へ弱々しくうつり、小さな乾いた音をたてた。

枯木が燃えつきようとする横で、ジゼルははじめてタケヒコに抱かれた。タケヒコのからだは暖かく、たくましかった。柔らかいからだの芯を熱い鉄のようなものがつきぬけるとき、ジゼルは川のせせらぎを聴いた。幼い日、アロック川の河原を父とふたりで歩いたときのことが浮かんだ。タケヒコを父以上に優しく、いとおしいと思った。

翌朝、タケヒコの声で目が覚めた。テントの外は一面、白い膜をかぶっていた。初雪だった。

タケヒコが携帯用ガスコンロでコーヒーを沸かしてくれていた。肩を寄せあって飲む熱いコーヒーが冷えきった喉（のど）に快かった。

岩場の先、北の方角に長い尾根が連なり、まん中にひときわ高いモンヴァリエが、三角錐（さんかくすい）の白い頭をつき出している。

眼下には、サンジュリアの盆地をくっきりと見渡すことができる。モンセギュールの山塊は雪を帯びていなかった。茶色の地肌をあらわにした山頂に、五角形をおしつぶした形の城壁が烙印（らくいん）を押したように鮮明だった。

「今頃、病院では、ぼくが居ないことを知って大騒ぎしているだろうな」

タケヒコはテントをたたみながら言った。

「大丈夫。みんな踊りつかれて、昼頃まで寝ているはずよ。去年、わたしは新米で、みんなが羽目をはずすのに驚いたわ。民族合奏団が来ていたのを覚えていない？ リーダーは八十歳のおじいさんで、あとはみんな青年たち。彼らと同じテーブルで食事して、食事が終ると、テーブルを片づけて踊ったわ。彼らは五十センチも先が跳ねあがっている木靴で床を思い切り鳴らすから、足を踏まれて骨を砕かれないかとひやひやしたのを覚えている。そのあと医者や研究所の人たちも入り乱れて、明け方まで踊ったでしょう。あのとき、あなたも居たのね」

ジゼルはタケヒコを熱っぽく見上げる。

六時過ぎに、岩の間の道を登りはじめた。薄くつもった雪のため、足場が不安定だった。油断すると、滑って転倒する恐れがあった。まっ青に晴れあがりそうな気配をみせている天候も気がかりだった。六、七合目を登っているうちは都合が良いが、尾根近くで視界が利き過ぎれば、カラビニエから発見される率が高くなる。

山道に牛の糞がおちていた。牛は夏の間だけ放し飼いにされ、秋の深まる頃下山させられる。小さな滝の上まで登りつめると、V字形の谷が広がり、幅二メートルくらいの渓流が前方にそそり立つ山から流れてきている。白っぽい毛をした牛が五、六頭、水辺の草をはんでいた。

谷をまっすぐつき進んでいけば、カラビニエの拠点があるピック・ダゴルへ着く。ジゼルたちは右側の急峻な山肌を越していかねばならなかった。

時間が経過しても気温はなかなか上がりそうもなかった。却って寒くなっていくような気がした。青い空はもうみえなくなり、煙を横になびかせたような雲が動いていた。標高があがるにつれて、積雪は確実に深くなり、吹きだまりでは二十センチの深さに達しているところもあった。

昼までに、八合目にあるトリスタイナ湖に到着するという目論見は一応達せられた。雪景色のなかに、楕円形の水面が巨大な穴をあけていた。道は、湖の周囲を大きく迂回し、対岸に回りこんでいる。湖上の直線距離にすれば一キロたらずだろうが、湖岸の岩を上下する迂回路は三キロはあった。

「ここまでは、エルセラに居た時に来たことがあるのよ」

中食のために持参した肉入り菓子を頬ばりながら、ジゼルが言った。

「国境まであと何時間だろうか」

「三時間か四時間だわ。雪のことを考えるとそれくらい見積っておかないと」

ジゼルは活気のある声で言った。タケヒコは湖水まで下りていき、すぐに戻ってきた。

「地図をみせてくれないか。筏がつないであるんだ。もしかすると、湖を横切った方が速いかも知れない」

筏は丸太を並べて組み、その上から板を打ちつけた、幅一・五メートル、長さ三メートル程のものだった。左右にボートのオールを長くしたようなものがついていて、中央に腰かけて漕ぐ仕掛けになっている。

タケヒコは、慎重に筏に乗り込み、漕いでみせた。ひとりくらいの重みではびくともせず、まがりなりにも前方に進んだ。

「途中で沈んだら、怖いわ」

と尻込みするジゼルをなだめて、筏に乗り込む。

湖水は絵の具を溶かしこんだように青く、水深がどのくらいあるか見当はつかない。手を入れると硬い冷たさがつたわってきた。

左右の岸がせりあがっていて、井戸のなかにいるような錯覚にかられる。細かいさざ波が筏の縁に絶えずぶちあたった。

タケヒコは筏が思う通り直進しないので苦笑していた。

「柄の方が余りに長いので、勝手がつかめない」

「急がなくても平気よ。沈んでさえくれなければ」

ジゼルは笑って、リュックから双眼鏡をとりだした。左前方の白い山肌に焦点を合わせる。斜面が地すべりでえぐられているところに、小さな繁みが点在していた。そこに小動物がいた。

「イザールだわ」

甲高い声に驚いて、タケヒコは漕ぐ手を止めた。

「何だい」

「かもしかの一種よ。決して人前に姿を見せないことで有名なの。わたしもこれが二度目だわ。十年も前に、伯父とグリエ山に登ったときに見て以来よ」

ジゼルは双眼鏡を注意深くのぞきながら答える。小動物は岩に前足をかけて、下をみおろしていた。

タケヒコが手を伸ばして双眼鏡をとりあげ、身体をねじって、ジゼルが眺めていた方角に向けるが、目標がなかなかつかめない。

「崖下（がけした）に黒っぽいベッドみたいな形をした灌木（かんぼく）があるでしょう。そこから四、五度左下にくだったところ」

「居る居る。何匹もいるじゃないか。キツネみたいだ。動いているぞ」

タケヒコは子供じみた歓声をあげて、しばらくみつめていた。国境を無断で越える緊張はどこにもない。ジゼルは、この反動が必ずやってくるような気がしてならなかった。

タケヒコは再び漕ぎはじめた。谷の方から噴きあげてきたガスのため、イザールのいた岩場はたちまち見えなくなった。

「性能の良い望遠鏡なら、今朝方、ぼくたちが登っているところも、モンセギュールから見えただろうね」

　タケヒコが暗い目を向けた。

「モンセギュールの城砦(じょうさい)からなら、その可能性もあるけど、病院からだと無理だわ」

　ジゼルはそう答えたものの、タケヒコと同じ危惧(きぐ)を自分がさっきから抱いていたことに気づく。タケヒコは漕ぐ手を速めた。

「国境さえ越えればいいのよ」

　ジゼルは自分を鼓舞するように言った。

「そう。フランス領にはいれば、所長だって手が出せない。事を荒だてれば却って、合衆国に不利になるだけだから」

「わたしが働くわ。タケヒコはしばらく身を潜めておくのよ」

「パスポートも身分証明書もない人間が、町の中で不審がられないか」

「大丈夫。フランスに住む人間はすべてフランス人なのよ。それがフランスという国。当分、伯父のところに身を寄せてもいいし、二人でどこかの町へ行ってもいい」

　とジゼルは言った。

「伯父さん夫婦がぼくを気に入ってくれるなら、一緒に暮したい。きみの育った村で農夫をするのは素敵だろうな」

「タケヒコさえその気になれば、もっともっと土地を買って果樹園をつくってもいい。牧場だってできるわ。伯父さんの夢だったのよ、それ。子供もないし、自分も年だからすっかり諦（あきら）めていたのよ。喜ぶわ、きっと。タケヒコも伯父さんが好きになるに決まっている」

　ジゼルは眼を輝かせて言った。タケヒコの傍にいると、なにもかもが、うまくいくような気がしてくるのだ。

「三十にして立つ、だな」

　タケヒコがひとりごとのようにつぶやく。

「なによ、それ」

「中国の偉い哲学者が言ったことさ。人間は三十歳でようやく自分の足で歩みはじめるということなんだ。回り道だったかも知れないが、結局は歩かざるを得なかった道のような気がする」

「運命論者なのね」

「そう。生れた時点で、一人の人間の歩くべき道すじは決定されている。ただ、それが見えないだけなんだ。ふり返ってみたときに、それがよくわかる」

タケヒコは力いっぱいオールを漕ぎあげる。冷たい水しぶきがあがった。

「不思議ね」

「なにが」

「タケヒコの考え方でいくと、とっても不思議だわ。日本に生れたあなたと、アリエージュの片田舎に生れたわたしが、こうやって筏に乗って、国境を渡ろうとしている。それが、初めから予定されていたことだなんて」

「多分、そうなんだ」

タケヒコはオールの手を休めずジゼルの方をじっとみつづけた。

天候がくずれはじめていた。湖の対岸に着いたとき、筏に乗り込んだ地点は霧のために見えなくなっていた。伯父がよこした詳細な地図だけが頼りだった。雪が岩の間でガラスのように固まっていた。

午後三時半、国境の尾根にたどりつく。強い風が吹いていた。数百メートル下を、厚い雲がおおい隠していた。ガスが数瞬間跡切(とぎ)れたとき、西の尾根づたいにモンヴァリエの嶺(みね)が見えた。方向に狂いはなかった。

「あそこに人がいる」

双眼鏡をのぞいていたタケヒコが言った。冷たいものがジゼルの背中を走った。

「どんな恰好をしている？　緑色の服を着ていない？」

「ふたりとも、黒ベレーに緑の服だ」

「カラビニエだわ」

ジゼルは、タケヒコから双眼鏡をもぎとると、モンヴァリエの斜面を視野に入れた。

「わたしたちの方へ来るわ。見つかったのよ」

「逃げよう」

タケヒコが叫んだ。ジゼルは素早く、地図に眼を走らせる。眼下に、平たい岩石を横くずしに置いたような山肌が伸びていた。

「タケヒコ、こっちよ」

ジゼルは促した。仏領の方へ、できるかぎり深く逃げこめばいいのだ。表面の雪がしぶきのようにあがった。ガスが再び、モンヴァリエの山影を包んだとき、銃声が響いた。カラビニエが停止を警告するために撃ったものだった。

視界は二、三百メートルしかなかった。ガスが跡切れないことを祈った。タケヒコが先にたっていたが、すでに道らしいコースからははずれていた。下へ下へと向う本能だけが生きていた。

ジゼルは左足に痛みを感じていた。岩をすべった時、足首を強く挫いたのだ。一歩踏み出すたびに苦痛がつきあげた。歯をくいしばってタケヒコのあとを追った。ひとつの痛みと交換に一メートル進むことを考えつづけた。

ガスは晴れそうになかった。道を探すよりも、渓流のあとに沿って下っていけば良いという思いがタケヒコをとらえていた。流れの筋はちょうど踏みつけ道のように平らかになって、下方へ伸びていた。

積雪が次第に浅くなるのが有難かった。二時間ほど下ったときに、山道らしいところに出た。タケヒコは、ジゼルが足をひきずっているのに気づき、彼女の手をとった。ジゼルは、歩調をゆるめなかった。逃げてみせると思った。ふたりで生き続けるのだと思った。

ガスはいくぶん薄くなっていた。モンヴァリエの尾根は山のかげになって見えなかった。斜面を斜めに突っ切ったところで、道は、もうひとつ別の尾根から下ってきた小径と一緒になった。

湿地帯が連山の奥深くまで、鋭角三角形を切り込んだように、せりあがっていた。両側を、切りたった断崖が囲っている。黄色い花をつけた草地の間を、渓流がゆるやかに蛇行していた。

遣いつくばるようにして水を飲んでいたタケヒコが、草の間から煙草の空箱を拾いあげた。〈ゴーロワーズ〉だった。ジゼルには、それがフランス領にはいったことを証明しているように思えた。

タケヒコがジゼルの登山靴の紐をほどいてくれた。

「まだ、油断はできないけど、きみの足にも休養を与えないと」

とタケヒコは言った。くるぶしは赤く脹れあがっていた。清流に浸すと、冷たさが快かった。

谷川は二、三百メートル下流で滝になり、付近に、這松やナナカマドが急に勢いづいたように繁殖していた。路傍に黒苺がなっていた。

粗末な山小屋を見つけたのは七時近くになってからだった。フランス語で落書きされた扉や壁をみたとき、心の底から助かったと思った。

靴をぬぎ、草の上に仰向けになって目を閉じた。タケヒコの身体が手のとどくところに横たわっていた。二十二年間がこの人のために準備されていたのだと感じた。つきあげるような歓喜がこみあげてきた。

周囲は暗くなりかけていた。その前に枯木を集めておかねばならない。這松の茶色に変色した部分をナイフで切りおとす。枯れているのは葉だけで、茎はまだ生きていた。

　小屋の中に枯木を積み上げると、タケヒコは空らになった葡萄酒の壜をさげて、谷川の方へおりていった。

「こんな実があったけど、食べられるのかい」

　戻ってきたタケヒコの手のひらには、小さな黒い実がのっかっていた。

「ミルティよ。食べられるわ。それでジャムなんかつくるのよ」

　ジゼルが言うと、彼はフライパンを持ち出して、渓流へひき返した。

　気温がぐんぐん下がっていった。小屋の中で、這松を燃やした。タケヒコはまず、「新式のクレープだ」と言って、小麦粉をミルクでといたものをフライパンで焼いた。砂糖をまぶしたものにミルティをはさんで、ジゼルにさし出した。空腹だっただけに、甘味とミルティの酸がかった味が舌にしみた。タケヒコは火で顔を赤く染めながら、炭火の上で肉を焼いた。チーズを切り、残っていた葡萄酒を全部あけた。

　夜は寒気が襲った。燃料が尽きると、四方の石壁が音をたてて冷えていく。からだを寄せあって寝た。天井裏で舞う風の音を聞いているうちに眠りこんでいた。

　翌朝、戸をあけると、出発を阻むように、厚いガスがたれこめていた。

「食事の仕度をしている間に晴れるさ」

とタケヒコは言った。空壜を両手に下げて、水場へおりていこうとしていた。

「気をつけてよ。視界がきかないから」

「道がわからなくなったら、大声で呼ぶから、返事をして、ぼくを導くのだよ」

タケヒコは白い歯をみせて笑い、ベレー帽を前におし下げて、ガスのむこうに姿を消した。

ジゼルは、しばらく小屋の中にとどまっていたが、タケヒコが戻ってくるまでに枯枝を集めておこうと思って、外に出た。小屋の方角を頭の中にきざみこんでおいて、這松の間を歩きまわった。小枝が腕いっぱいになると、小屋の方へもどりはじめた。五十メートルも歩けばいいと思っていたのに反して、建物の影はいつまでたっても視界のなかにはいってこなかった。ジゼルが突き進むのと同じだけのガスが背後から包みこんだ。足許(あしもと)の道さえもう定かではなかった。胸騒ぎがした。意を決して、岩だらけの斜面を横ざまにおりはじめた。

そのとき、ガスの奥から、チンチンと壜の触れあうような音が聞えてきた。思わず、タケヒコ、と叫びそうになったのを制止できたのは、一瞬早く低い話し声がしたからだった。ジゼルは反射的に岩の陰に腰をかがめた。ガスのなかに二つの人影が浮かびあがった。方向を知りつくしているように、力強い足音がずかずかと近づいてくる。

カラビニエではなかった。枯草色の軍服を身につけ、二人とも銃を手にしていた。

「死体はあのままでいいのだな」

ジゼルが隠れた岩の前を行き過ぎるとき、男のひとりが言った。スペイン語だった。

「俺たちは死体の処理まではしなくていい」

別の男が答えた。

ジゼルは夢中で男たちのあとをつけた。三十メートルも行かないうちに山小屋があらわれた。男たちは銃をかまえて勢いよく小屋の中に突入した。やがて、あわてたように一人が飛び出してきてガスの中に消えた。残った男はジゼルとタケヒコの荷物を小屋の外に持ち出して積みあげた。上から液体をそそいで火をつけた。火は勢いよく燃えあがった。火焰の先が黒煙を噴いた。男は中国製の花瓶を頭の高さまで持ちあげて、岩にたたきつけた。磁器は鈍い音をたてて砕けた。枯草色の帽子の下の顔がまっ赤にかがやいていた。

ジゼルは首から下だけで行動していた。タケヒコが消えた谷川の方角へよろよろと歩き出した。

それから先は全く記憶が失われている。人の話し声で意識が戻った。フランス語が跡切れがちに耳にはいってくる。眼をあけると三人の顔が視野にうつった。身体をおこそうとすると、右の肩口に激痛を感じた。皮膚が割れ、赤い肉の中に、白い腱さえみえていた。岩場から転落して、一日半水辺で気を失っていたことを知らされた。猟師たちの手で麓の村まで運ばれ、手当をして貰ったあと、ウストに帰った。

ウストの郵便局から、モンセギュール病院に電話を入れた。

「ジゼル、驚かないでね。ムッシュウ・クロダが、モンセギュールの城壁から飛び降りて自殺したわ。ベロベロになった死骸が、絶壁の下で見つかったの。おとといの晩よ」

ひきつったアンの声が、がらんどうになったジゼルの胸のなかで、狂おしく反転した。

5

「ですから、この墓の下にあるのはタケヒコの遺骸ではないのです。山小屋の前で集めた花瓶の破片をタケヒコだと思って埋葬しました」

風が時折、白い土を巻き上げた。ジゼルは遠くピレネーの連山をみやったまま、長いこと口をつぐんだ。ほつれたおくれ毛が、風に震えている。

「実にむごい話です……」

佐伯はそう言ったまま、継ぐべき言葉を見出しえなかった。ジゼルの横顔が死人のように蒼白だった。

陽のかげった下で、礼拝堂が灰色にくすんでいた。古びた墓地の守りにふさわしい、巨大な墓標のような建物だった。屋根からつき出た鐘楼のなかに、四個の鐘が吊り下がっている。光のせいで、それが鳥の死骸のようにも見えた。

ふと、佐伯が視線を下方に転じようとしたとき、窓の内部を黒いものがよぎったような気がした。

「あの礼拝堂には誰か住んでいるのですか」

佐伯が訊くと、ジゼルは暗いまなざしをすばやく礼拝堂に向けた。

「いいえ、もう何年も空家になったままです」

ジゼルは答えた。佐伯はもう一度、礼拝堂の窓をみやったが、動くものはなにもなかった。

「タケヒコの血を引いた娘がいることはご存知ですね」

ジゼルは話を転じるように、つよい口吻で言った。

「ええ、宿屋のおかみから聞きました」

「あの子に会ってやっていただけませんか」

ジゼルは佐伯をまっすぐ凝視めた。「あの子に、タケヒコのことを話してやって下さい。ええ、ありのままでいいのです。わたくしも、あの子には何ひとつ隠さずに、打ち明けてきました」

思いつめた顔だった。佐伯は、明日中にパリに帰らねばならぬことを考えた。

「フォアまでは遠いのですか」

「午前中にウストを発てば、夕方前には着きます」

「会わせていただけますか」

佐伯の返事にジゼルの顔が輝いた。

「クレールにはすぐ、電話を入れておきます。フォアの目抜き通りにあるスーパーマーケットでアルバイトをしているはずです」

とジゼルは言った。

第六章　放出（リリース）

成熟したウィルスは細胞外に放出される。すなわち、⑴細胞内の特殊な通路を通っての放出、⑵細胞膜や細胞壁からの突出・萌芽(ほうが)、⑶崩壊した細胞の亀裂(きれつ)からの娩出(べんしゅつ)、などのメカニズムが証明されている。

(C. A. Knight : Molecular Virology)

1

バスには冷房がなかった。佐伯は、いっぱいにあけた車窓から、木一本ない丘の頂に立つ石重ねのバジリックを眺めていた。光が粒のように舞っていた。どこからか、エンジンの音とは異質の、低い地鳴りに似たものが聞えてくる。

音は、尻のように合わさった丘のむこうに、積乱雲みたいにたち昇っていた。クッションの悪い旧式のバスが、アスファルトのはげおちた坂道を登りつめる。そこが盆地の縁だった。眼下に白くフォアの町が広がっていた。いま正体をみせた音は、町をドーム状におおっている街そのものの発散する熱っぽい息づかいであった。

バスは勢いづいたように道をくだりはじめる。爆竹と人々のざわめきや、無数の楽器の音に揺さぶられて、万国旗や三角旗で飾りつけられた街路を右左右左と曲がったところで、はたと、止まった。

町中が乱舞のなかにあった。レストランから溢れた客は歩道に卓を持ち出し、老若男女の踊りの輪は、片道通行止になった車道にまではみ出して波をうった。頬を紅潮させた子供達が、行きなずんだおんぼろバスの横腹をどんどんと叩いて、顔を出した乗客をみて、笑う。運転手が渋滞に痺れを切らして、停留所の手前でドアをあけた。

佐伯は乗客の殿りに下車した。車道に立つと足がふらついた。ウストから五時間もバスに乗りついできたせいばかりではなかった。町の音にすっかり内耳をかきまわされてしまっていた。数珠つなぎになった車の脇を、ひとまずバスターミナルまで歩くことにした。歩きながら、家並の上につき出た看板に注意深く視線を走らせて、ホテルを探した。

めぼしいホテルは五、六軒とも満員だった。「祭のせいだ」と、六軒目のホテルの主人が言った。「今日と明日、この町はどこもいっぱいだ」と彼は誇らしげにビール腹をさすった。空いていそうなホテルを聞きだすためにターミナルの案内所に行った。親身になって応対してくれた係員の声も街の騒音にかき消されそうだった。誰もかれもがありったけの声をあげて話しあっている。結局、路地のどんづまりの怪しげなホテルにかろうじて空室をみつけた。

シャワーをあび、ポロシャツに着換えたあと、クロークで、スーパー〝フォンタン〟へ行く道順を聞いた。看板はすぐわかった。車輛進入禁止になった通りの左側をじっとにらんでいくと、〝モノプリ・フォンタン〟というばかでかい文字が目にはいった。

店の前に人だかりがしていた。食料品を満載したワゴンの後で、若い男の店員が呼びこみをしている。これ以上客を集める必要もないのに、呪文を唱える男の顎先から、溶けた蠟の滴のように汗がたれおちる。

店の内は外ほどには混んでいなかった。街の音楽が幾分遮断されているだけでも静かだった。地階の食料品売場へおりていく階段の脇に、黄色い買物籠が山積みになっていた。風呂屋の番台みたいに高くなったレジに年配の女が坐り、黄色い買物籠の中味を上から吟味しながら計算している。

佐伯は手のすいた売子をみつけて訊いた。

「すまない。クレールって娘に会いたいのだが」

化粧の濃い赤毛の娘は眼をまばたいて佐伯を見返し、「クレールね。待って」と言い残して店の奥にはいった。娘の口の中にちらっと見えた赤い舌が、奇妙に佐伯の眼の中に残った。

やがて彼女は同じ背丈くらいの女の子を伴って出てきた。クレールに違いなかった。細い頸が豊かな胸もとに斜めに嵌っている。若さにあふれていた。どこかマイヨールの彫刻を思わせた。

「佐伯です」

「クレール。よろしく。みんな母から電話で聞いたわ」

彼女は濃い栗色の髪を肩のうしろにはねやるようにして笑った。「ウストはどうだったの」

クレールの君僕ことばが佐伯をまごつかせていた。大学で同じ年頃の女子学生と話す機会は多かったが、学生ことばで話しかけられたことはなかった。

「ウストは静かな村だった」

「静かな、死ぬ程退屈な、といいたいのでしょう」

クレールは小さい笑い声をたてた。「この町は違うわ。とくに今夜は。もちろんフォアは初めてなのでしょう」

「フォアの城だけなら、ブッサンからサンジロンへ行くバスから見えた。きれいだった。金色に輝いて……」

「サーチライトのせいね」

「一晩中、城を照らし出すというのは、すごい思いつきだ」

と佐伯は感心してみせる。話のテンポが速かった。

「電気代のことで議会が毎年もめるのよ。観光収入と出費とどっちが多いかって。でも、遠くから来た人を現にこうやって感激させたのだから、まんざらでもないのね」

クレールはそう言って笑った。

立ち話を長くできるような雰囲気ではなかった。クレールは店内にとりつけてある時計をちらりとみやった。

「もう少しで、閉店なの」

彼女は申し訳なさそうに言った。

「じゃ、それまで、街の中をぶらついている。フォアの城を見物してもいいし」

「それがいいわ。市役所前の広場からすぐよ。道しるべも出ているし、建物の間から城の塔が見え隠れしているから、迷うことはないわ」

佐伯と一緒にクレールは店の外まで出てきた。

「ごめんなさい。給料日だから、早退できないのよ」

「構やしない。突然おしかけたのはぼくだから」

「五時に、駅から下った所にある噴水のそばで待っている」

「わかった」

佐伯は答えた。

クレールは佐伯に短く手を振って、店の中に引っこんだ。

予期していたような暗さも、身構えた固さもない彼女の態度が、佐伯の気持を軽くしていた。雑踏にもまれながら、佐伯は黒田のことをおもった。クレールの切れ長の眼と、整いすぎた鼻すじが、忘れていた黒田の風貌を逆に喚びおこしていた。肉感的な口許はジゼルゆずりのものだろう。華やいだ肢体にせよ、気のおけない性格にしろ、二人の良い面だけを受け継いでいるようだった。佐伯は気持がはずむのを覚えた。広場に市がたっていた。家並の白壁に埋めこまれた黒い枠組がユニオン・ジャックのようにみえた。商店街のアーケードを支える柱の一本一本に彫刻されている動物までが、うなり声をあげているようだ。

佐伯は人混みをさけるようにして歩いた。郵便局横の路地から城がみえた。路地はせまく、くすんだ色の建物が左右から倒れかかってくる。どの窓も閉まっていた。広場の雑踏とは逆に人の気配がなかった。むこうから降りてきたベレー帽の男がニコリともしないで、「城へ行くのか」と訊いた。そうだと答えると、男は「それは残念だ」と肩をすくめて通りすぎた。佐伯は何が残念なのかわからなかった。

路地は最後に濠につきあたって右に折れていた。城は水の上、岩の上にあった。城をいただく巨大な岩盤の周囲を濠がとりまいている。緑色に濁った水面を水草がおおい、対岸には葦が群生していた。どこかに堰があるらしく、幽かに水の落下する音がした。

道は濠を渡り、岩盤をらせん状に登って城のすぐ下に出た。鉄の扉に札がぶらさがっていた。〈花火工事のため、立入禁止。〉ベレー帽の男の言った意味がのみこめた。橙色の城壁はところどころはげ落ちて、数世紀の風雪に耐えた年輪を感じさせた。

佐伯は、かつてこの城に住んだ領主が攻略したモンセギュールの砦のことを思った。カタールの焼死体がもう一度磔刑に処されたように、黒田の死体も、何者かの手でモンセギュールの城壁から突きおとされていた。死骸はマネキン人形のように数百メートルをゆっくりと下降して岩にぶちあたる。——佐伯は、黒田がなぜ二度まで殺されなければならなかったのかを考えてみる。ベルナール所長が、殺人を、自殺にみせかけようとしただけなのか。ジゼルの話にも、黒田のノートにも、納得のいかないことが残っているような気がした。それが自分のフランス語の理解力の未熟さからくるものか、別の理由によるものかは分らなかった。自分の脳のあちこちに軽石のような穴があいているような思いがした。いつのまにか、膨らんだ気分がしぼみかけていた。

佐伯は寒々とした気持で城を下った。人ごみの温かさが恋しくなっていた。まだ時間があった。広場に面したホールで、トマト色の食前酒を飲んだ。老人の弾くアコーデオンにあわせて、盛装した女たちが民族舞踊を踊っていた。白いスカーフを髪の上に飾った老婆の顔が赤く上気していた。

五時に噴水の前に立った。クレールはかかとの低い靴をはき、よく伸びた脚を前方に蹴り出すようにして歩いてきた。大きな紙づつみを胸の前に両手で抱きかかえている。

「ごめんなさい。少し遅れたわ」

彼女は紙袋を顎で支えたままで言った。「城は見物できた？」

「入口まで行ったけど閉まっていた。花火のとりつけだそうだ」

「あら、悪いことしちゃったわ」

「いいさ。鉄格子の外から眺められただけで十分」

佐伯は言って、クレールの紙袋に手を伸ばした。「それよりも、せっかくの祭に、変な訪問者が来て迷惑だったろう」

「そんなことないわ。わたしも楽しみにしていたの。父の友達ってどんな人だろうって」

「会ってがっかりだ」

「ううん、何度かこの町でみた日本人の旅行客と違うから、安心したわ」

「どこが違う」

「両手にいっぱい土産物をぶらさげていないところ」

その言い方が佐伯にはおかしかった。

クレールは足早やに歩いた。街の真中を流れる川を渡った。水量が豊かで、澄んでいた。

「おおもとはピレネーから流れてくるのよ。工場なんかないから汚れる心配はないわ。フォアよりも下流になるとダメだけど」

とクレールが言った。

路地の角を曲るたびに、家並が不揃いになった。しかし町の音は執拗にどこまでもついてくる。路地の上からも音は容赦なく降ってきた。

粗末な建物にはいった。入口の横のドアが開いたままになっていて、中に若い男が五、六人たむろし、そのなかの一人がギターを弾いていた。クレールが声をかけると、男たちは一せいにこちらを向き、佐伯を一瞥した。

「先に昇って」

と彼女は言った。

狭い階段の踊り場ごとに部屋の扉があった。三階で、後からクレールが呼びとめた。

「ここだわ」

部屋の中は思ったより広かった。壁は淡い青、紺色の敷物、同色のカーテンが涼感を与えている。窓際に木製の大きな机があり、上に吸取紙と筆立て、銅板のふたのついた書類箱がのっていた。穀物用の木の樽を屑籠がわりに使っていた。

「引越してきたばかりで、壁紙ももとのままなのよ」

クレールは佐伯に椅子をすすめながら言った。「疲れたでしょう」

「少しはね。なにしろ、ウストからずっとバスに揺られ続けだったから」

「母は元気だったかしら」

「元気そうだった」

「弟や妹たちは」

「いや、会っていない」

と佐伯は答える。「でも、弟というのは、牛の番をしている子じゃないか。二匹の犬をたくみにあやつって」

「黒い犬と茶色の犬ね」

「そう。その彼なら家に行く途中で見かけたよ。もう一人前の牛飼いだ」

「将来はウストで肉屋をやるんですって。飼った牛を自分で殺して売るつもりね、きっと」

笑いながら、彼女は佐伯がホールで飲んだのと同じトマト色の食前酒を運んできた。

「夕食は川のそばでするけど、いいわね」

彼女は言った。若々しい皮膚の下からほのかに血の色が透けていた。

「父の墓に行ったそうね」

と彼女が訊いた。屈託のない表情だった。

「父のこと良く覚えているの」

「ああ、ぼくには忘れがたい人だ」

佐伯は真顔で答えた。

「今夜は父の思い出は抜きよ。昔のことは何もかも忘れてしまうの。大切なのはヴァカンスを楽しむことだけ。いい、約束よ」

とクレールは言い、佐伯が曖昧にうなずくのを、悪戯っぽく見返した。軽い酔いのまわった身体の芯で町の音楽が鳴っていた。

「着換えて、ピクニックの用意をするから、少し待っててね」

と言いおいて、彼女は隣の部屋にたった。

佐伯は一方の壁を埋めているスチール製の本棚に目をやった。大部分の本が無雑作に横積みされたままだった。娘はフォアの大学で歴史を専攻している、と言ったジゼルのことばを思い出した。

外に出たとき、入口の男たちはもういなかった。片手にずっしりと重いバッグをもたされた。クレールはさっきとは別の道をとった。城とは逆方向だった。

「もう演奏会が始まっているころよ」

と彼女は言った。

市役所のずんぐりした建物の裏を、バスやトレーラーが占拠していた。ブーンという唸(うな)りが木立のむこうから漏れだしてくる。

公園は光の破片をぶちまけたようになっていた。大木を柱がわりにして、回転木馬や、レスリング場や、人形劇の小屋がかかっていた。私設リングの中央に、弱々しげなレスラーが立っていた。レフリー役の男が、観客に呼びかけて、挑戦者をつのっている。

どぎつい看板を掲げたストリップ小屋の前が一番の人気だった。クレールが佐伯の手を引っぱって立ちどまらせるのと、目の前の人垣がふたつに分れたのが同時だった。と、裂けた見物人の間から、素裸の女が走り出てきた。佐伯のすぐ傍を駈(か)けぬけてあっという間に小屋の入口の幕の裏に消えた。思いをめぐらす間もなく、再び群集が割れた。別の白い裸体が突進してきて、同じように小屋の中に吸いこまれた。今度は、力強く揺れていた胸乳が残像のように佐伯の眼にきざまれた。

「すごいサーヴィスだね」

と、佐伯はクレールに苦笑してみせた。

「三十分ごとにやる客引きなのよ。みんなその時間を見計らって集まってくる」

「その筋からは文句がでないのかい」

「警官だって楽しみにしているわ」

クレールはいかにも小気味良さそうに言った。

公園内の通路に沿って夜店が立ち並ぶ。菓子やクレープを焼く店、おもちゃ屋、射的屋。束になった紐の一本が引かれ景品が釣り上がる仕組みは、佐伯にはなつかしいものだった。

耳を聾するエレキギターの演奏が、野外劇場から響いてくる。

「しばらく聴いていかない」

とクレールが言った。

ベンチはほぼ満席だった。人をかき分け、舞台のそで近くまで行って立見した。

舞台の上には、顔を白く塗り、タキシードを着込んだ四人組が居た。かけあい漫才よろしく二人が早口でしゃべり、客席を爆笑させると、唐突に演奏をはじめる。口紅をべったり引いた唇を白い顔いっぱいにおし広げ、舌をよじりながら歌う。一人がアクロバットのように五、六種の打楽器をうちならし、一人がギターを弾く。テンポが速くなり、楽器を弾く手が激しく痙攣（けいれん）する。ドラムの男の山高帽が吹きとぶ。音量がピークに達し、ドラムが一打ち叩（たた）かれると、四人組は首を切り落されたように、がくんと頭を垂れた。拍手がおこった。頭部をすげ直した男たちは、派手な投げキッスをしながら退場する。

「あそこに居る友達にお金を返してくるわね」

クレールはそう言って、客席の中ほどにいる若いカップルのところに行った。話をしながらクレールは佐伯の方を振り返って手をあげた。佐伯が応じると、三人とも笑った。

新しく拍手がおこっていた。舞台は、ギターをかかえた白いスラックスとポロシャツの男にかわっていた。決して若くはない。三十はとうに越しているだろう。はだけた胸からとうもろこしの頭のような毛がはみ出し、腕は丸太なみにふとかった。タングステンの鉱山町でみかけた男達と似ている。真一文字の濃い眉（まゆ）の下で、ぎょろりとした眼が客席の方を見据えたが、白い歯をみせて笑ったときの顔はひどく素朴だった。

「マルティよ」

いつのまにか戻っていたクレールが耳許で言った。

荒削りの岩のような声だった。鑿で音をけずりとるようなリズムだった。フランス語ではなかった。スペイン語とも違う、どこか東洋のひびきのする言葉だった。

一曲終ると割れるような拍手がおこった。

「いい感じね」

「いい感じだ」

佐伯は同意する。心にしみる歌い方だ。

「マルティはこの辺では絶対の人気なのよ。パリでもレコードが売れはじめているわ」

「土地が生んだ英雄なんだね。うまいもんじゃないか」

マルティは続けて五、六曲、エネルギッシュに歌った。クレールが、彼はオキシタン語でしか歌わないのだと言った。

舞台の照明がおとされ、マルティは橙色のスポットを浴びていた。彫りの深い顔を俯け、マイクに口を寄せて低い声でしゃべった。

「モンセギュールを歌うわ」

クレールが舞台から眼を離さないで言った。

「モンセギュール？」

佐伯の脳裡で、黒田の死体が弧を描いてゆっくりとおちていった。

マルティは苦しげに歌っていた。ライトに浮かぶ脂ぎった顔が歪んだ。身体全体からしぼりだす悲痛な声が、聴衆を呑みこむ闇に響きわたった。歌詞は相変らず理解できなかった。語尾を長くひき伸ばしたモンセギュールという単語だけが、耳のなかでかろうじて意味を成した。

観客は総立ちになって、退場するマルティに拍手をおくった。彼の姿が舞台から消えると、拍手の音は益々高くなり、ついで、二拍子のリズムに変った。前の方に陣どっていた若者たちが、手拍子に合わせて、マルティ、マルティ、マルティ、と叫んだ。

クレールは人混みの外へ佐伯を促した。彼女の眼が熱っぽく輝いていた。

熱狂的な拍手が背後でおこった。マルティがアンコールに応えて舞台に戻ったのに違いなかった。祭の興奮が彼の舞台だけに吸い寄せられていく。

公園のはずれはただの闇にすぎなかった。

「この地方の人たちにとって、モンセギュールって何だろう」

佐伯はひとりごとのように言う。

「モンセギュールは、オキシタンの聖地よ。ちょうどユダヤ人の聖地がエルサレムのように」

街灯に照らされたクレールの横顔が美しかった。正面から見たときの華やかさが消え、横顔には別人のような端正な勁さが感じられた。

「一二〇四年、大十字軍終結。一二〇八年、法皇イノッサン三世アルビジョワに対する十字軍を命ず。一二一五年、マグナ・カルタ制定。一二二六年、ルイ八世フランスに癩病舎法制定。一二四五年、モンセギュールの虐殺。一二九八年、フランコニアでユダヤ人居住地焼き打ち」

クレールは教科書を読み上げるように言ったあと、くくっと喉の奥で笑った。

「これが十三世紀の弾圧の歴史よ。ナチスがユダヤ人を追いつめたように、カトリックはカタールの皆殺しを図ったのだわ。モンセギュールの城は、虐げられた民衆の、権力に対する反逆のシンボルなのよ」

聴いてくれ
俺がみた古い夢物語を
大地が呑んだ生血の話を
失われた自由の話を

モンセギュール
きみらはモンセギュールに五百人
生きることを知っていた
きみらはモンセギュールに五百人
鉄の意志を自由が包んでいた

ある日烏の軍隊がやってくる
法皇の豚どもが聖ドミニクを唄う
暗い空に火の手があがり
清い意志がまっかにたちのぼる
十字軍の黒い旗に囲まれ
きみらの屍が火刑台で凌辱される

赤い血　赤い炎
いま俺は赤い歌をうたう

きみらの戦いを継ぐために
繋(つな)がれた魂を解き放つために
モンセギュール
お前はいたる処(ところ)に立っている

クレールは小さな声でうたった。

「きみのお父さんはモンセギュールに居たんだ」

と、佐伯はこらえきれずに言った。

彼女は答えず、顔をそらした。話はそこで跡切(とぎ)れてしまった。彼女は怒ったように歩いた。佐伯は余計なことを口にしたことを後悔していた。クレールは何もかも知っているのだ。

橋のたもとから川岸へおりる小道を、一列になって歩いた。川は油のように黒光りしていた。二人とも黙っていた。土手が右側の空間をさえぎっていた。町の音が次第に遠ざかっていくようだった。川は時計回りに大きく蛇行しながら、半円形の野原を抱きこんでいた。

クレールは牧草地をかこむ柵(さく)を身軽に乗り越えた。

「足許（あしもと）に気をつけてよ。子供たちが草を結んで罠（わな）をつくっているから」

はじめてクレールが口を開いた。明るい声に戻っていた。牧草は深々としていた。

草地を突っ切ると再び川岸に出た。

「まずキャンプファイヤーよ。暗くなる前にたきぎを集めなくちゃ」

と、クレールは小石の敷きつまった水辺を指さした。「なるべく大きな枯木を拾ってきて欲しいわ」

　これでは立場が逆だ、と佐伯は苦笑した。五十男が若い娘にさしずされている。

　佐伯は流れの傍まで行った。暗がりで足許が危うかった。大小さまざまの石がころがっている河原だった。大きな石の根に、白く乾いた小枝がひっかかっていた。動物の骨を拾い集めているような錯覚がした。水辺に横たわる流木を引きあげると、木の先端が水を撥（は）ねた。小さい水音をたてて、波紋が乱反射しながら広がっていく。流れはゆるやかにフォアの街の方角へ向っていた。対岸にはまるっこい山影が黒々とせり出していた。

　小脇（こわき）に枯枝の束をかかえ、左手で流木を引きずって石ころの上を歩いた。薄暮のなかでクレールの姿がシルエットになって見えた。ふと佐伯は山小屋での黒田とジゼルをおもった。二人もこんな風にして枯枝を集めたのではなかったか。そのとき黒田はいくつだったろう。自分の年からクレールの年齢を引けばいい計算だった。佐伯は改めて彼が若かったことを感じる。

「その調子よ。できるだけたくさん集めてちょうだい」

草の上のシートにバッグの中味をあけながら、クレールは言った。佐伯は蜻蛉返りに水辺に引き返す。夕闇がすぐそこまできていた。

集めた枯枝と流木を竈型に組み、その中に新聞紙をつめて、火をつけた。火は音をたてて枯れた針葉樹の葉をなめ、すばやく小枝に燃えうつった。草むらが火影に照らし出される。

「町の音が聞えない? ほら」

クレールが指をつき出して言う。川下の方、闇のずっと奥で、低く太鼓のリズムのような音がしていた。

「フォアの城はここから見えないのだね」

「今夜だけはあのサーチライトを消すのよ。いつもなら、あのあたりに見えるのだけど」

と、彼女は闇の広がりの奥を指さした。町の余光だろうか、その方角で、空がほんのりと赤らんでいた。

　火は勢いよく燃えた。クレールがグラスに葡萄酒をついだ。血色の酒がどくどくと音をたてる。

「フォアの夜にようこそ。乾盃」

　クレールは白い歯をみせてグラスを持ち上げた。

「ありがとう。乾盃」

　甘ずっぱい味が、喉にしみ、胃を火照らせる。パンとパテとチーズ、銀紙の皿に盛ったサラダとピュレ。クレールが紙包みからとり出したパラフィンの中味は腸詰だった。蛇がとぐろを巻いた恰好だ。クレールはその鎌首のところを持って、するすると引き上げ、ナイフで十センチ程の長さに切った。

「ソシスよ。アリエージュの名物」

　切りとった肉塊に柳の枝を突き刺して、銀紙にくるむ。焚火の底にそれをさしこんだ。

「これで準備完了。ソシスが焼けるまで、泳がない？」

と言って、クレールは立ちあがった。「水はきれいだわ。とってもいい気持よ」

　佐伯は呆気にとられて彼女を見上げた。

「水着がないよ」

「なんにもつけなくていい。暗いから平気よ」

彼女はもう川の方へ歩き出していた。

佐伯は、クレールが水際に立ってTシャツを首からぬぎあげるのを見ていた。素早い動作だった。身につけたものをすべて取り払うと、佐伯の方に背中を見せて、ゆっくり川の中にはいっていった。川上を向いて両手を前にさし出したとき、胸のふくらみがみえた。乳房を水面に押しつけるようにして俯伏せになり、泳ぎはじめる。脚が、ひとつ水しぶきを蹴あげた。頭だけが水面に浮いたまま、きゅっきゅっと移動していく。対岸の山影が黒光りする川のむこうにあった。

焚火の勢いがおちていた。佐伯は小枝をひとつかみ投げ入れて、火種のところに思い切り息を吹きかけた。炎が新しくおこった。その上に焦げた流木を引きあげた。

佐伯は頭のなかで泳いでいた。故郷の川だった。夏祭の朝、神輿をかつぐ若者たちは雫石川で身を清めなければならなかった。まだ夜の明けやらぬ川面を、厚い水蒸気が上流の方へ流れていた。若者たちはオッシオッシと叫び、お互いの裸身に水をかけ合って、深みにはいっていく。股間で触れた流れの感触が三十五年後のいま生ま生ましくよみがえってくる。

クレールが川の中から呼んでいた。口のまわりに手の輪をつくって叫んでいる。佐伯は立ちあがった。

「バスタオルをとってくれる」

「どこにあるのだい」

佐伯は自分の張りあげた声が必要以上に大きいと思った。

「バッグの中を見て」

布製のバッグをまさぐる。梨とプラムの下敷きになっていた青いタオルを持って、水際へ行く。

「ありがとう。そこに置いてちょうだい」

彼女は水の中から、小石の上に脱ぎ捨てた服を指さした。そのままくるりと背をむけて遠ざかる。形のよい背中だった。佐伯はタオルをサンダルの上に抛(ほう)った。

「冷たくないのか」

「水の中の方があたたかい。気持いいわ」

クレールは水面から頭ひとつ出して答えた。水が黒い鏡のように見え、その表面を白い人魚が泳いでいる。佐伯は黙って引き返した。自分のからだがひどく煤(すす)けているような気がした。

流木が猛然と火を噴いていた。葡萄酒をつぎ足して、あおった。何杯も飲めるような気がした。食欲もあった。パンにパテを厚く塗って口に放りこんだ。

「生きかえったみたいだわ」

いつのまにかクレールが傍に立っていた。濡れた髪をタオルで丁寧に拭いた。

「ソシスは焼けたかしら」

彼女は火の底から、腸詰を刺した生木の枝を引き抜き、草の上に叩きつけた。灰がとび散り、銀紙の間から香ばしい匂いがもれた。

佐伯はグラスを片手にもって、腸詰にかぶりつく。肉は舌を焼くくらいに熱く、あわてて葡萄酒を口に含んだ。

河原はゆっくりと冷えていくようだった。火のぬくもりが心持よかった。牧草地の広がった奥に、柵の影が切り絵のように見えた。堤防の黒い帯が薄墨色の空を境していた。

クレールはシートの上であおむけになっていた。草が砂糖水のような甘い匂いをはなっていた。佐伯はそれを酔いのせいだと思う。

「こんなところで、後悔したことを思い出すのは奇妙なことだわ」

と、クレールがつぶやいた。

「何を後悔したんだい」

「男友達(コパン)のことよ」

と言って、彼女はくっと笑った。「毎年いろんな男の子とここに来たわ」

「二人で、さっきのように泳ぐのかい」

「そう。裸でむこう岸まで泳いでいくのよ。山のすぐ下は流れが速くて、一度溺(おぼ)れそうになったわ。岸に戻ったら、草の上で抱き合うのよ。水の音がして、星がふってくる……」

「今年はとんだ邪魔がはいった」

と、佐伯はほてった顔をクレールの方に向けた。

「今年は断ったの。かえって良かったわ。彼ら、別段わたしでなくてもいいのよ。今頃別の女の子と街の中で踊っているわ」

彼女はそう言って、また乾いた声で笑った。

「今夜は嬉(うれ)しい。本当よ。葡萄酒のせいでもない。父を知っている人に会うっていうことが、こんな気分にさせるなんて考えてもみなかった。ここでは、誰も、わたしに日本人の血が流れていることは知らない」

クレールは残った枯木を全部投げ入れた。火は急に暗くなり、間をおいてから再びあかあかと燃えあがった。

「ねえ、わたしの父ってどんな人だった」

と、彼女は火をみつめたままで訊いた。佐伯は答えにつまっていた。

「優れた科学者だった。ぼくも、その才能を羨ましく思っていた」

「本当のことを言っていいのよ」

クレールの瞳に強い光が宿っていた。

「実は、ぼくはこの年になって、きみのお父さんをよく理解できていなかったことに、気づきはじめているよ。あの頃、ぼくはきみのお父さんよりずっと、ずっとぼんぼんだった」

佐伯はそう答えて、グラスの葡萄酒をひといきにあけた。快く酔えそうな予感がした。

「黒田は骨の髄まで寂しい男だった。一人ぼっちだったんだ。本当に心を開くことのできる相手は家族にも友人にもいなかった。自分をとりまくすべてのものが心を癒すどころか、憎しみをかきたてるものでしかなかった。ことに世の中でうまくやっている人たち、実力者、金満家、権力者、ことごとく憎悪の対象だった。かつて自分に奨学金を出してくれた町の篤志家さえも軽蔑しきっていた。それでいて、世の中で不遇をかこつ者、世の脱落者を徹底的に忌み嫌っていたのも彼だ。貧乏人、病人、無能者を唾を吐きかけるようにして批判した。実際、黒田の口にかかると、すべてのものが醜くみえてくるから不思議だった。はたでみていても、自分で自分の足元を切りくずしていくような人づきあいをしていた。自分でも百も承知だったろう。しかしどうすることもできなかったんだ。そういうふうにつくられた性格というものはあるんだ。癒されることのない寂しさを背負い続けなければならぬ人間。たぶん、黒田には、世の中が見えすぎたのだろう。彼の眼にかかると、光の部分も影の部分も容赦なく化けの皮がはがされた。そうなると信じられるのは自分の世界だけしかない。狂気と背中あわせの自閉の世界だ。彼は自分が狂気の淵をつたい歩きしていることが分っていたろう。淵への転落を防ぐ唯一の命綱がウィルスの研究だった。そう、研究のことになると彼は、別人になった。彼が仙台ヴァイラスを発見したのは、偶然だ。しかし、黒田以外には訪れない偶然だった。彼の狂おしい才能が、偶然という女神の微笑を得て、はじめて開花した結果が、仙台ヴァイラスだったのだ。黒田にとっては、何にもかえがたい宝だった。仙台ヴァイラスとなら、この地球とすら引き換えかねなかったろう。そして、きみのお父さんは、たぶんああするより他にすべがなかったんだ」

そこまで言ったとき、ピレネーの山をジゼルと共に必死で登っていく黒田の姿が浮かんだ。仙台ヴァイラスと訣別した彼は、雪の尾根のかなたに何を見ていたのだろうか――。

急に眼の縁が軋み、熱いものがにじみ出てきた。この旅の間中、胸につかえていたものが、一挙にとりはずされていくようだった。

「ありがとう。あなたはとてもいい人だわ」

クレールは両方の膝を胸もとに抱きよせた姿勢で言った。佐伯はぼやけた視線で、黒田が遺した美しい形見をみつめた。

「クレール。よかったら、日本に来ないか。きみのお父さんの故郷だ」

「ありがとう。いつか行くかも知れない」

町の音はいつのまにかおさまっていた。川下のフォアの方角で、ほんのりとした空の明るみが徐々に暗くなっていく。暗い舞台に更に幕がおりていくようだった。

「もうすぐ十時ね。街の灯が全部消えるわ」

佐伯は空の一角にある小さな光点をみていた。水面に泡がひとつ浮上するように、それは暗い空に不意に現われたのだった。光る点は、街とは反対の方にゆっくりと動いていく。

「飛行機だね」

佐伯が指さすと、クレールは枯枝を目の上にかざして、光点を見上げた。

「動かない。星よ」

佐伯がその小枝を受け取って頭を反らしたとき、突然暗い空があかねいろに輝いた。

街の上空に、花火が大きな橙色（だいだいいろ）の傘を広げていた。火の傘はゆっくり下降していき、音もなく暗い背景に吸いこまれた。と、遠くで爆発音がひびいた、次の瞬間、火の糸がするすると闇（やみ）に這（は）い昇り、パッと消えた。破裂音と共に、黄と青の光のかけらが放射状に飛び散った。それは、暗い空の一点を中心にして無数の直線を描き、先端のところで加速を失い、鉤型（かぎがた）に曲がった。

二人とも立ちあがっていた。

クレールは牧草地を軽やかに走り始める。佐伯も駈（か）けた。湿りはじめた草が重かった。

柵（さく）のところからは、花火のあがる方向を遮るものはなにもなかった。花火はたて続けにあがった。光と音とが、てんでんばらばらに届く。墨を流したような曲面を、火玉が中天までかけあがり、炸裂（さくれつ）するのだ。その瞬間だけ、空と街の境が明瞭（めいりょう）になった。

「今度は何色？」

クレールが言った。

「赤」

咄嗟に佐伯が答える。

「私は青」

一瞬おいて、赤味がかった橙色の大輪が中天近くで開いた。どすっという消音銃のような音が、四方の闇に呑みこまれた。

「あなたの勝だわ」

「次は」

「赤」

「黄」

青白い花火が低いところで砕けた。失敗作のような中途半端な破裂の仕方だった。だが、その周辺の闇から、無数の白い点がみみずのような軌跡を描いて這い出していく。あとからあとから際限もなくそれは続いた。まるで、崩壊した細胞からウィルス粒子が飛翔していくようだった。仙台ヴァイラスだ、と佐伯は思った。

「次は」クレールが叫ぶ。

「赤」佐伯が答える。

「あがらない」

そう言って、クレールは愉快そうに笑った。

空に闇がもどっていた。花火はあがらなかった。激しい舞いのあと、闇は静かに呼吸を整えている。微風がひやりと汗ばんだ首筋をなでた。草の上の暗闇が音をたてて身体（からだ）をしめつけてくるようだった。

終ったのか、と佐伯が訊くと、クレールは黙って首を振った。

闇の奥に城が浮かびあがった。紅（あか）い炎が城を包んでいた。三本の塔の上から、滝のように、まっかな火が落ちていた。白い煙が暗い空に舞いあがる。

「城が燃えている」

真黒な闇を背にして、城は火を吐きながら立っていた。塔の天辺（てっぺん）からあふれる火玉が、城壁をつたって滝のように流れおちる。川が闇のむこうで鳴り、山影が膨らみはじめた。

2

八月三十日は月曜日だったが、フォアの街は前夜の疲れを癒（いや）すように静かだった。駅の人影もまばらだった。たぶん、人々は昼過ぎになって起き出し、夕方近くになって三々五々、それぞれの持ち場に帰っていくのだろう。

トゥルーズ行きの列車は十時五分に構内にはいるはずだった。佐伯は十時まで待合所のベンチで新聞を読みながら、クレールを待った。見送りに来るとは言っていたが、寝すごしたのかも知れなかった。若い娘にはよくありがちなことだと内心で苦笑し、立ち上がった。

構内のさわやかな空気に、コーヒーとパンの香ばしいかおりが入り混じっていた。地下道をくぐって、上り列車のホームにあがった。もう一度、改札口の方をふり返ったとき、クレールの姿が目にはいった。佐伯は手を上げ、それをめざとく彼女は認めた。

息をはずませて階段を駆けあがってきた。頰がかすかに上気し、Tシャツの胸をふくらませて息をしていた。薄く引いた口紅がひどくなまめかしく感じられた。

「間にあってよかった。気づいたのが、十五分前。自転車をとばしてきたの」

佐伯は黙ってうなずきながら、胸があつくなるのを覚えた。

「ありがとう。元気で。お母さんや、あの頼もしい弟にもよろしく。それからお父さんにも、もしさしつかえなかったら」

佐伯が列車に乗り込もうとすると、クレールが呼びとめ、抱くようにして右左の頰にキスをした。


「あなたも、元気で」

「手紙を待っているよ」

佐伯の言葉に、彼女は眼をうるませてこっくりうなずいた。列車が動きはじめると、手を振るクレールの姿はあっけなく視野の外におし出されてしまった。

トゥルーズまでの二時間、佐伯は身動きひとつせずに、窓外に目をやっていた。しびれたような頭の感覚が、却って快かった。

トゥルーズで特急に乗り換えた。座席は満員に近かった。パリへ直結する活気が車内にあふれ、佐伯は気おくれに似たものを感じた。

佐伯は網棚にあげていたスーツケースをおろして、黒田のノートをとり出した。ウストの宿屋で読みとばした英文の部分を、細部まで点検してみたい気持にかられた。ていねいに書かれた邦文とは対照的に、読みにくい英文の走り書きだった。ただ、挿入されたスケッチとグラフが佐伯の理解を助けた。

ノートは、まずはじめに、ヒト胎児細胞の培養について記していた。ヒト胎児の腎臓をトリプシン液に浸して分解し、同じくヒト臍帯血の血清で培養するという手法は、佐伯にとって耳新しいことではなかった。彼の研究室で用いている組織培養も、ニワトリの胚の筋肉細胞を、ウシ胎児血清を使って三十七度で育てあげるというものだった。

佐伯の注意をひいたのは、黒田が用いている培養用恒温器の空気組成だった。80%の酸素に5%の炭酸ガス、15%の窒素という配分は、聞いたことがなかった。とすると、黒田の実験のユニークさは、材料にヒトの細胞を使い、独自の気体環境で生体培養を試みたことにある。

佐伯は、直観的に面白いものを感じて頁を繰った。

第二の記述は、前記の方法で育てた腎上皮細胞をウィルスで融合させる実験に関するものだった。黒田はそこで仙台ヴァイラスだけでなく、痘瘡ウィルス、ヘルペス・ウィルスなど、種々のウィルスの融合能力を検証していた。グラフは、ラットの鼻腔粘膜から採取したパラインフルエンザ・ウィルスが、仙台ヴァイラスには劣るが、比較的高度な細胞融合能力を持つことを示している。

十二日目の受精鶏卵の漿尿膜に、ラットの鼻腔粘膜擦過液を注入し、四日間三十六度で培養したあと、急速冷却して胚を殺す。注射器で漿尿液を採取したものを百倍に希釈し、0.1㎖を別の受精卵に注入すると、ウィルス粒子のために懸濁した漿尿液が得られる。この液中の細胞残渣を低速遠心で除外し、更に上澄を超遠心にかけると濃縮されたウィルスが沈澱する。これを蔗糖勾配法で精製したのが、黒田のいうパラインフルエンザ・ウィルスであった。

このウィルスを、培養した胎児腎細胞に感染させると、仙台ヴァイラスと同じような巨細胞ができる。――佐伯は、感無量といった面持ちで、黒田の筆跡をみつめた。仙台ヴァイラスがなくても、細胞融合させる方法が残されていたのだ。

これなら、佐伯の研究室でも、若い研究員が二人がかりで取り組めば追試が可能だろう。黒田が使ったラットが特殊なものか、あるいは普通のラットならどれでも持っている不顕性感染型のウィルスなのか、書かれてはいないが、かたっぱしから検索していけば、いずれは網にかかるだろう。教室のなかで、興味をもつ者があればやらせてみてもいい、仙台ヴァイラス類似のウィルスが見つかれば儲けものだ。

だが、はじめ佐伯が期待していた遺伝子融合による細菌兵器について、ノートは何も語っていなかった。黒田が自嘲していた「逆立ちした科学」はどこにもなく、「まっとうな」科学実験だけがそこには記されている。黒田が意図してやったことなのだろうか。つまり、至上命令であるプロジェクトからはずれた実験結果を秘かに書き綴ったのが、このノートではなかったのか。

ノートの最後の部分はそうした佐伯の疑問に答えるものになっていた。黒田は、仙台ヴァイラスを感染させてつくった巨細胞の浮遊液で人体実験をしていたのである。それはもはや、「逆立ちした科学」とは縁遠いものであった。

すなわち、浮遊液に紫外線を照射してウィルスを不活性にしたものを人間に投与すると、インフルエンザにかかりにくいという実験データが記載されていた。ウィルスを感染させられた腎細胞が、なにかウィルスを抑制する物質を産出するのだと推測される。黒田はそれを分子量の低い蛋白質（たんぱくしつ）だと見当をつけ、種々の方法を駆使して抽出を試みていたが、いずれも満足な結果は得られなかった。

——この抑制物質を大量に精製することができれば、ウィルス性疾患に対する画期的な治療になるだろう。ウィルス兵器に対する強力な防御、いわば迎撃ミサイルのようなものだ。と、黒田は結んでいた。

佐伯は心の中でうなっていた。そこに、黒田の科学者としての卓抜さをまざまざと見せつけられた思いがした。佐伯の現在での知識からすれば、黒田がここでウィルス抑制物質と言っているものは、インターフェロンと称されるものに違いなかった。

インターフェロンは、ウィルスに初感染した細胞が放出する糖蛋白で、未感染細胞をウィルス感染から守る役目をする。この糖蛋白と抗体との最も大きな違いは、抗原特異性ではなく細胞特異性を持つということであった。抗体が、その抗体を産生する原因となった抗原に対してのみ有効性をもつのに対して、インターフェロンはインフルエンザ・ウィルスによってできたものでも、ポリオや日本脳炎を防ぐことができる。反面、ニワトリの細胞が産生したインターフェロンは、ニワトリの細胞にしか働かない。従って、人間に用いるためには、ヒト細胞にインターフェロンを生み出させる必要があった。

こうした物質の存在は二十数年前に推測され、ここ十年で研究が急速に進んだに過ぎない。ノートに記された黒田の実験はまさしく当時の最先端をいくものであったはずだ。しかもそれは彼の研究の副産物として出てきたものだった。黒田の仕事が二十年の空白を飛びこえて、いま自分の手もとに展開される。古びた色褪(いろあ)せたものとしてではなく、未知の可能性を秘めたものとして佐伯の眼に映るのだった。

例えば、インターフェロンをウィルス病の特効薬にするための最大のネックは、「量」であった。膨大なヒト細胞を培養してウィルスを感染させ、インターフェロンの産生を促しても、採取できる量は微々たるものである。いかに効率よくインターフェロンをつくりうるかが、現代医学の大きな課題のひとつになっていた。

黒田が記しているような、ヒト胎児の融合細胞にインターフェロンを作らせる試みは、佐伯には耳慣れないものだった。普通の細胞より、融合した巨細胞の方が生産能力があるのかも知れない。

二時間余りでノートを読み終えた。

窓外に、後方へ流れる風景があった。パリへ向かう列車の速度が佐伯の高ぶった気持に快かった。埃をかぶる薄暗い書庫で、探し求めていた文献に遭遇したときの興奮が、身を包んでいた。

シートに頭をもたせて目を閉じる佐伯の頭の中で、仙台に帰ってから着手すべきプランが具体的な形をとりはじめる。

まず、ラットから仙台ヴァイラス類似のパラインフルエンザ・ウィルスを検出する仕事。次いで、そのウィルスを使ってヒト胎児の融合細胞をつくり、インターフェロンを産生させる。最後に、精製したインターフェロンをB型肝炎ウィルスの臨床実験に用いる、つまり、B型肝炎の不顕性感染や慢性感染の患者にインターフェロンを注射して治療効果を調べること。佐伯は、黒田の残した仕事が、肝炎ウィルスという自分の分野に生かされようとしていることに、運命じみたものを感じる。

黒田が持っていた細胞融合の技術をそっくり佐伯たちが再現できれば、免疫の分野にも応用できるはずであった。例えば、特殊な機能を持つが、数が極めて少ないある種のリンパ球と、増殖作用の旺盛(おうせい)な白血病やリンパ腫(しゅ)の細胞とを融合することも可能になる。そうすることによって、特殊な細胞の機能を化学的に研究できるようになり、同時に、標的が単一的である抗血清も作ることができよう。

この最後の実験に至るまでには、多くの優れた頭脳と長い時間が必要に違いないが、決して不可能な道だとは思えなかった。それを成し遂げたとき、黒田が「逆立ちした科学」の間隙(かんげき)でこつこつ書きつけた遺志と良心に、報いることになるはずだった。——黒田の墓参はまだ終っていない。今また新しくはじまったばかりなのだ、と佐伯は思った。

夕方七時近く、パリ、レンヌ通りのオテル・オラトワールに戻った。一カ月程の旅をしてきたような気がした。窓の下を人が忙(せわ)しげに行ききし、劇場の看板は相変らず刺激的だった。

佐伯は大学と、留守宅で待っている年老いた母親に葉書を書いた。大学の講義開始日である九月十日には戻れないこと、助教授が代講すべきこと、パリでの会議は好評だったこと、などを箇条書きにした。母親には、昔の同僚だった男の遺児と出会ったことを書きながら、ひょっとしたら彼女も黒田のことを覚えているかも知れないと思う。佐伯が虫垂炎でたおれたとき、駈けつけた母親は黒田と会ったはずだった。母親にだけなら、今度の旅行のことを一部始終話してやってもいいような気がした。

三十一日、午前中のBOAC機でヒースロー空港に着いた。

「パリジェンヌとのお熱い旅行のあとでは、ロンドンの空が一層重苦しく感じられはしないか」

空港に佐伯を迎えたリチャードは、開口一番そう言った。

十年振りのロンドンは、売家と外国人が目立った。ここでは時間が進んでいるのではなく、退歩している感じがした。

リチャードは十年前と同じ、ハンプステッドのアパートに住んでいた。以前はベージュに塗られていた建物が明るい青にかわっていた。

「子供が大きくなったんで、上のフラットも借りた。当分ここに住むつもりだ。郊外に週末用の家を買ったので、仕方ないさ」

と友人は言った。

二人の男の子はもう一ぱしの英国紳士になっていた。母親が下の息子は柔道を習っているのだと説明してくれた。

次の日から、びっしりとスケジュール通りの生活がはじまった。午前中は、佐伯がかつて学んだロンドン医科大での集中講義、午後はガイ・ホスピタルと、近くのメディカル・リサーチ・インスティテュートでのリサーチ・カンファレンス。夜だけが、解放された時間だった。

パーリアメント・パークで音楽を聴き、フランスから来ていた、男だけの劇団の芝居を見た。

リーゼント街は日本やヨーロッパ、中近東からの観光客でごった返していた。誰もが帰国して、斜陽の英国について得々と語るだろう。それはそれで間違いではない。だが、ひとたび、ロンドンっ子たちの生活の内部にはいっていくと、ポンドが下落し、端（はた）から落ち目だと言われても、動じることのない堅固な生活の流れがあった。リチャードの家では、曾祖父（そうそふ）の代からの食器をまだ使っていた。百年で皿の数は三分の一に減ってしまった。が、あと三十数枚は残っている、多分、自分の息子の代になって更にもう百年分の食器を買うだろう、と彼は言った。

そうした時代がかった時間のなかで、アリエージュでの一連の出来事が頭の隅におしやられていたかというと、そうではない。仕事のあと、友人やその同僚たちと連れだってパブに行き、話題が専門的な分野に及ぶことがあった。

「インシュリンや成長ホルモンのコードをもつＤＮＡを細菌に注入して、ちっちゃな工場として役立たせるうちはいい」

と生化学者の同僚が言う。「人間が化学的にそれらの物質を合成するより、ずっと効率が良いし、試験管一本分の細菌で、年間一万人分の糖尿病患者に必要なインシュリンがまかなえる。だが問題は、そこまでの技術を持った研究者なら、大腸菌にボツリヌス中毒を起こす遺伝子を植え込むことは困難なことではない」

その先は言う必要はなかろうとでも言いたげに、彼はスコッチのはいったグラスを口にもっていった。

「それに似た話は私もアメリカの友人から聞いたことがある。過去二年間にメリーランド州のフォートデトリックで四百二十三件の人体感染事故があり、そのうち三人が死亡している。その病原菌の正体が全く摑(つか)めていないのだ。新種のウィルスか、あの子細菌という臆測(おくそく)まではいったが、医師団の調査は政府筋から圧力がかかり、結局はうやむやになったと言っていた」

と、別のひとりが言ったのを佐伯は聞きとがめて、

「あいの子細菌というと、細胞融合によってつくったものだろうか」

と訊(き)いた。

「ええ、多分そうでしょう」

「細菌の融合は現時点でどのくらい進んでいるのだろう」

誰かが質問する。佐伯は黒田のことを口にしたい衝動をやっとのことで抑えた。

「プランチマルと言われる植物と動物の雑種ができているくらいだからね」

ヒト細胞とタバコのかけあわせ実験については佐伯も耳にしたことがあった。

「みんなが恐れていることは、要するに微生物兵器だろう。公平にみて、微生物兵器は核兵器に優るよ。第一に、核兵器ほどの莫大な費用を必要としない。第二に仰々しい地下実験や海上実験がいらず、医学という隠れ蓑の下で研究ができる。現時点で核保有国とされている国は、その核の威力の数倍の実力を持つ微生物兵器を保有していると考えてもおかしくない」

リチャードの横で黙って聞いていた同僚は思い切ったようにそう言ったあと、佐伯の方をみつめた。

「サエキ教授、日本では核兵器に対する風当りはどこの国よりも強いと聞いています。当然のことでしょう。唯一の被爆国ですからね。核兵器反対はあなたがたの権利でもあり、義務でもあると思います。ところで、微生物兵器についての世論はどうなのでしょうか」

「ゼロです」

佐伯は重々しくかぶりを振った。

「そうですか。私たちの国も同じことです。人々に警鐘を発するのは、私たち科学者の責任なのでしょうが、私たちの声は余りにも小さ過ぎ、人々がはしゃぐ声にかき消されてしまうのです」

佐伯は、自分より一世代は若い彼の言葉に深い共感を覚えずにはおれなかった。パブの隣のテーブルでは、身なりのいい男たちが盛んに山猫ストを非難していた。

「医学の敵は、正面にいる病気ばかりではなく、自分の背後からしのびよってくる見えない敵とも戦わねばならない時がきている」

リチャードがしめくくるように言った。

3

九月十日、ヒースローを正午きっかりに飛び発（た）った、七四七は、二時間後にオルリーに着き、再び機首を北東に向けていた。機窓から次第に遠ざかる、パリの白い街並が見えた。

佐伯は、スチュワーデスが持ってきた新聞の束から、フランス・ソワール紙をとった。

第一面トップに、最大級の見出しが、〈MAO死す〉と告げていた。紙面いっぱいに毛沢東の横顔。人民帽をかぶり、埴輪を思わせる口許が好々爺然と微笑している。

彼の死は、前日、リチャードの家で知った。その夜、BBCとITPは急遽特別番組を流した。ひとつの時代が終った。――どの解説者もそんな表現を使った。ド・ゴールが死に、フランコが死に、毛沢東が逝った。確かに、何かが過ぎ去ろうとしている。佐伯はそう感じながらニュースを聞いていた。

新聞をめくった。第三面に、〈三百六十八日間の旅と戦闘によって、毛は中国を制した〉と読めた。毛沢東の生涯を年代記風に解説した記事だった。

上段に載った二葉の写真が佐伯の注意をひいた。一枚は揚子江を游泳する毛沢東。当時、世界中の新聞がこぞって掲載したものだった。額の禿げあがった頭部が、まるで貼絵をしたように水面に浮いている。左側のもう一枚の写真には、中国ソビエト政府時代というただし書きがついている。眉間に青年特有の気むずかしげな皺をよせた若き日の彼が、三人の同志と語らっていた。

佐伯は、期せずして、ひとりの人間の老年と青年の対比を見せつけられた思いがした。一九六六年と、一九三七年。三十年の歳月があらゆる装飾を取り払われて、そこにあった。

佐伯は、頭のなかで、自分の生きた年月から三十年を引いてみる。色白で、頭が良いとちやほやされた材木屋の坊ちゃんが浮かびあがる。それは、今の自分からは余りにも遠いところにあった。少なくとも、そう思いたかった。二十年を差し引くと、研究者としてのかけ出し時代だった。黒田と机を並べた思い出深い日々が黒々と横たわっていた。十年前はどうだったか。現在の地つづきでしかなかった。

二十年前の数年間、黒田と共に過ごした年月こそ、まぎれもなく自分の出発点だった、と佐伯は思う。

飛行機の丸窓から銀翼の一部がみえていた。翼の遥（はる）か下方に、アルプスが広がっている。連峰は薄くたなびく雲の上に、白い鋭利な稜線（りょうせん）をさらけだしていた。

機体がかしいだとき、氷壁がキラッと輝いた。それは、佐伯にピレネーの雪山を想起させた。

白い斜面を蟻（あり）のようにのぼる黒田とジゼルの姿が浮かんだ。黒田が雪の尾根のかなたに見ていたものが、いま佐伯はいたいほどわかるような気がした。

俺は人間より、ウィルスの方がいい。——床の軋む物置同然の研究室で、彼は文字通り阿修羅となって生きていた。彼の才能は得体の知れない憎悪を糧としながら、暗い穴のなかで必死に出口を求め、ついに仙台ヴァイラスを手中にした。その才能は合衆国の庇護のもとで一気に花を開く。だがそれは、あくまで彼にふさわしく、陽の当らない陰湿な場所でであった。

そのあと、黒田のなかで何かが変質していったのだろう。〈逆立ちした科学〉に対する疑問と、ジゼルとの出会いが、彼を新しい世界へと駈りたてていったのだ。彼の無残な最期を知っているだけに、そういう彼の行為が傷ましく思えてくる。

黒田が生きていれば、と佐伯はおもった。

アルプスの尾根が強い陽を浴びていた。丸窓の外で、濡れたような光沢をもつ氷壁がゆっくり旋回していた。

そのとき、佐伯の胸のなかを音をたててすべりはじめたものがあった。隣の席にいたギリシャ系の顔をした婦人が驚いたように佐伯をみた。

ひとつの疑念が頭のなかをかけめぐっていた。

黒田のノートが何故、ジゼルの手許に残されていたのだろう。二人の荷物はすべて山小屋の前で焼かれたのではなかったか。

あの実験ノートには、黒田の言う〈逆立ちした科学〉に関しては何ひとつ言及していなかった。それどころか、佐伯に研究上のヒントを与える程の〈まっとうな科学〉だったではないか。そこには確かになんらかの意図が働いている。はじめから、佐伯に渡されるべく書かれたノートではないのか。

佐伯はあえぐようにして新聞の頁をめくった。

〈エドガー・フォル、毛沢東の中国について語る〉

〈毛を通りすぎていった四人の妻たち〉

〈卵を四角にする機械〉

〈ソルジェニーツィン、合衆国に定住か〉

雑多な記事と広告が脈絡なく、網膜にうつった。

いま、佐伯はある光景をありありと思い出す。没年のない、名前だけの黒田の墓石。ジゼルの肩越しに見えた礼拝堂の窓を、確かに黒い人影が横切ったのだった。気のせいですわ、あそこには誰もはいれないようになっています、と言下に否定したジゼルの顔が、不自然に赧らんだのをおもいだす。

黒田は生きているのかも知れない。

生きて、あの礼拝堂から秘かに自分と対面していたのだ。痺れた思考のなかで、その思いは、ほとんど確信にかたまっていった。

　アルプスを越えた地平線のむこうに、赤味を帯びた太い線がまっすぐ伸びていた。陸地の赤い色を、地平線にたなびく雲が照り返しているのだった。その上を、いくつもの筋を引いて、白い気流がゆっくりと上昇していた。

　佐伯は丸窓の気密ガラスに額をつけていた。機体が急降下していくような失速感があった。

「何故、歴史を学ぶかって？」

　クレールの眼が、炸裂する花火を捕捉して輝いていた。「自分の生きている時代を理解するためよ。この五十年間に、七千万人を虐殺した現代というものを、自分の頭で考えてみたいのよ」

　クレールは、溌剌と、明るい光のなかで生きていくだろう。ことによると、黒田は、そんな娘の成長をこそ佐伯に見せたかったのかも知れない。

　佐伯の頭の芯で、フォアの町の音楽がよみがえっていた。機体の天井のノズルから吹きつけてくる冷風をあびながら、佐伯はモンセギュールの歌を聴いていた。

　仙台の自宅では、老母と女中がまだ眠らずに待っていた。二階の書斎にあがり、机の上を見ると、分厚い郵便物の束がきちんとつみ重ねられていた。縁どりのある航空便が二通あった。一通は、肝炎学会の主催者からの礼状、もう一通は、封筒の裏に差出し人の名前はなかったが、合衆国の切手が貼られていた。佐伯は注意深く封を切った。白地の薄いレターペーパーに書かれた太目の筆跡は見覚えのあるものだった。

サエキ教授、

無事の御帰国を衷心より喜んでおります。そして、今回の旅行で、貴方(あなた)の日程を大きく狂わせたことに対して、深く謝罪しなければなりません。

すべては、小生の胸裡(きょうり)に、秘めておけばそれですむものだったかも知れません。二十年間秘め通したものを、あと数カ月堪え忍んで、人知れず彼岸まで持っていけばよかったのでしょう。だが、小生にはそれができなかったのです。

この手紙は、半生を血腥(ちなまぐさ)い研究に捧(ささ)げてしまった老科学者の懺悔(ざんげ)とも、余命いくばくもない老人の悪あがきだとも、とられても仕方のない性質のものです。

二カ月程前でしょうか。小生がフォートデトリックの研究所の一室で、肝炎ウィルス国際会議のプログラムを眺めていて、偶然、貴方の名前を見つけたとき、枯渇(こかつ)しかけた脳髄が最後のひらめきをみせました。サエキという名を、遠い昔に何度か耳にしたことを憶(おも)い出したのです。実に奇妙な一瞬でした。そのときにはもう、二十年前の光景が浮かびあがっていました。貴方の名を小生の耳にきざみつけた男こそ、クロダだったのです。

容易に御想像がつくでしょうが、彼がアメリカに着いて、小生の配下にはいった当初、ことばにはだいぶ不自由していたようです。「日本人学者は日本語しかできないのか」と、同僚たちはクロダを冷やかしたものです。御承知のように欧米の学者は少なくとも三カ国語はあやつるのが常識です。悪意があって揶揄(やゆ)するのではないのですが、負けず嫌いのクロダはそのたびに、俺は日本人でも出来の悪い方で、皆が皆そうではない、とむきになりました。そして、引きあいに何度もサエキという友人の名を口にしたのです。クロダは自ら、日本に関することを賞讃(しょうさん)することがなかっただけに、その友人は全くの例外でした。それで、妙に小生の記憶の端にこびりついていたのでしょう。

しかし、それっきりそのことは小生の頭の中に埋もれたままになっていました。それが、あの会議のパンフレットを読んだ瞬間に、再現したということは、どう説明してよいか分りません。ともかく、小生はデビッド社刊の研究者年鑑を調べ、貴方が、クロダの言うサエキと同一人物に違いないと確信するに至ったのです。それから先の経緯（いきさつ）は貴方の御存知のとおりです。

ただ、これだけでは全部お話ししたことにはなりません。否（いな）、何ひとつ申し上げていないことになりましょう。

たぶん、貴方は小生がパリでお渡しした封筒をそのまま、持ち帰られているのだと思います。そうなることは、はじめから観念しておりました。小生という人間を、ヴィヴ夫人は決して赦（ゆる）してはくれない、そして、小生は赦されない人間に値するのだと。

――貴方も小生の書くこの手紙を苦々しい思いで読まれていることでしょう。

どうか、そういう老人の悪あがきと認めた上で、これから書き記すことを聞いて欲しいのです。

マダム・ヨヨの店で、小生は貴方に、クロダは自殺したと申し上げました。ヴィヴ夫人からどれだけのことを聞かれたかは存じませんが、実は、自殺ではないのです。

小生が殺しました。正確にいえば、小生が人を使って殺させたのです。

アンドールの微生物研究所にいた当時、つまり一九五七年ですが、クロダは仮病を使って入院していたモンセギュール病院から脱走をはかりました。忘れもしない、舞踏会の夜でした。小生が病院から連絡を受けたのは翌日の朝十時頃だったのです。クロダは、一週間程前から、時折研究所に戻る程度に回復してきていたので、もしかしたら宿舎か研究室にいるのかも知れない、そんなほのかな希望を抱いて小生は方々を探しまわりました。しかし、ウィルス培養室が荒されているのを発見して、期待は無残に打ち砕かれました。ある時期、彼の病気が仮病ではないか疑ったことがあったのですが、まさかという思いの方が強かったのです。

小生は研究所の部下たちには一切を内密にし、緊急の対策を考えました。クロダは長いこと入院患者だったので自力で、一切を準備するのは不可能です。手助けした人物が居ると判断し、彼と最も仲の良かったジゼルという看護婦の行方をたずねました。案の定、彼女は舞踏会の前日に一たん休暇から帰り、翌日再び宿舎を出ていました。しかも、運転ができないくせに同僚の看護婦から車を借りていたことも判明しました。

小生は研究所所長の名で、警察に連絡すると共に、国境の税関に検閲を強化するように依頼しました。万が一の場合に備えて、国境警備兵にも助力を頼んだのです。

正午過ぎ、モンヴァリエという山に常駐していた国境警備隊から、男女二人連れの登山者を見かけたが、濃霧のために見失ったという報告がはいりました。やや遅れて、モンヴァリエ方面に登る登山道の入口に、手配ナンバーの車が乗り捨ててあるという情報を、警察がもたらしてくれたのです。

小生はこの時点で決断を迫られました。

二人がモンヴァリエから国境を越えたことは間違いがない。法を犯したのだから、公的機関を使えば、引き戻すことは可能です。しかし、そうすれば騒ぎはおもて沙汰になるでしょう。ジゼルというフランス人女性が一枚加わっているだけに扱いは派手になり、微生物研究所そのものの正体まで明るみに出ることが十分考えられます。では、逆に二人の逃亡をそのまま放置したらどうか。それは、所長としての小生の身柄を危くするものでした。融合細菌のプロジェクトが九分通り目的を達成したとはいえ、仙台ヴァイラスを死滅させられた上に、研究員を逃がしてしまったとなれば、小生の過失はもはや何をもってしてもおおうべくもありません。

結局、小生は、クロダを射殺し、二人の持物を抹消することを条件に、人を雇ったのです。金のために人を殺すという人物はどこの国でもいるものです。小生はその筋のボスと直接取り引きをし、相手の言う金額をそのまま呑みました。追手は何よりも登山の技術に秀で、ピレネーの地理を知り尽していることが必要でした。クロダ達が完全にフランスの村におりていく前に、追いつき、目的を果さなければならないからです。ボスは、自信たっぷりに承諾し、二人の男にその役を任せました。

追手が出発したという通知を受けると、小生は警察と、国境警備隊にすべての捜査の解除を申し入れました。午後、小生はひとりでモンセギュールの城跡にのぼり、望遠鏡でピレネーの連山を眺め続けました。そうせずにはいられなかったのです。初雪があったらしく、山は一夜にして白いヴェールに包まれていました。ひときわ白いモンヴァリエの急斜面に、小生は針でつついたような小さな二つの点をみたような気がしました。無論、人の姿が見えるはずはなく、錯覚に違いないのですが、一瞬網膜に影をおとした二つの点は、焼きついたように消えないのです。クロダを殺し、その恋人を絶望におとし入れるのだという、重苦しい実感が胸を締めつけました。

ボスからの連絡は翌朝はいることになっていました。殺害に成功すれば、追跡者のひとりが狼煙(のろし)を打ち上げて知らせる手はずでした。小生は研究所でまんじりともせず、夜をあかし、電話を待ちました。

実際にボスから電話がはいったのは午後になってからでした。彼の声はかなりいらだっていました。山頂から連絡がないから、別隊を五人繰り出すというのです。小生はその報告を聞きながら、不思議に安堵(あんど)した気持になりました。クロダとジゼルは首尾よく逃げたのかも知れない、逃げたなら、逃げたでいい。彼がフランスのどこかで生きのびても、過去のことを一切口外しないならそれでいい、あとは自分が帳尻(ちょうじり)を合わせるから。——最初の残忍な決意とは裏腹に、いつのまにか小生はそんなことを考えていたのです。

だが、実際には既に殺害されているのかも知れないのです。小生は、動きはじめたものを、止めるすべもなく、不安なまま一日を過ごしました。長い一日でした。モンセギュールのむこうのピレネーには重い雲がかかっていました。そこでどんな悲惨なドラマが繰り広げられているのか、小生は一層不安になっていきました。

翌朝早く、連絡がはいりました。国境を越え、フランス側へ五百メートル程下ったところの山小屋付近で、追跡者の二人が発見されたのです。一人は死に、一人は片膝を撃ち抜かれて動けなくなっていました。

話はこうなのです。追手ふたりは夜のうちに山頂近くに到着し、濃霧のため一歩も動けなくなったので、そこで夜の明けるのを待ったというのです。黎明と共に山を下り、途中で、クロダらしい東洋人を見つけ、尾行し、谷川までおりていきました。彼が水辺から立ち上がろうとした瞬間を捕捉して、追手のひとりが引金をひくと、クロダの身体はもんどりうって倒れました。二人が岩陰から飛び出して駈け寄ろうとしたとき、別の銃声が響いていました。ひとりが二メートル吹っ飛び、そのまま動かなくなり、続く二発目が、残る一人の脚を貫通していたのです。

濃霧の奥から姿を現わしたのは、背の高い猫背の老人で、うずくまった追手の銃をすばやくとりあげると、クロダの方に走り寄ったのです。老人はクロダに肩を貸すようにして、支え、ゆっくり霧の奥に消えていきました。生き残ったひとりが苦痛のなかで耳にしたのは、「タケヒコ、タケヒコ」と泣き叫ぶ若い女の声と、老人の低い慰撫の言葉だったのです。

ボスはそう小生に説明したあと、契約は百パーセント遂行されたとは言い難いが、多分クロダという男も生きてはいないだろう。部下の死と負傷は当方の手落ちだから、契約とは一切関係ない、約束通りの金額を貰いたいと言いました。小生はそこで一計を思いついたのです。死んだ部下の死体を譲ってくれれば倍の金額を出そう、ただし、モンセギュールの城砦から死骸を突きおとして放置するという条件で、と申し入れました。

ボスは二つ返事でした。小生はクロダの服と身分証明書を彼に渡し、死体をクロダにみせかけるよう指示しました。

研究所員の自殺死体がモンセギュールで見つかったという情報がまもなくはいり、遺体は病院に運びこまれました。小生が前もって言い含めていた内科部長の手で、遺骸はドクター・クロダのものとして処理されました。合衆国の公文書上、クロダの名は永久に抹殺されたのです。もっとも、日本に居る貴方達に対してクロダのにせの死亡通知がもたらされたのは、それよりも四年前の一九五四年だったはずです。そうです、その年に彼は正式の陸軍微生物班要員としてアンドールに赴任したのでした。つまり、生涯を無名の科学者として合衆国に捧げ尽すことが決定づけられたのです。

事件の数カ月後、小生は二人の部下を死に追いやった責任をとる形で、所長の任を解かれ、本国に呼び戻されました。

クロダのことは絶えず頭にありました。生きているのか死んでいるのか分りませんが、死んでいれば、殺したのは自分だという罪の意識は持ち続けていました。生きていて欲しいと念じながら、ついにそれを確かめなかったのは、罪の意識で自分を苦しめるためだったとも言えます。

二十年近い歳月が流れ、小生は一応第一線の職を退き、自分なりの時間がもてるようになりました。すると、無性にクロダのことが思い出されてならないのです。

三年前でしたか、フランスの民間調査機関に依頼して、ウスト村出身のジゼルという女性の行方を追って貰いました。彼女はウストに住み、ベトナム移民と結婚しているという返事でした。クロダはやはり死んでいたのです。――少なくとも、当時小生はそう思いました。

翌年、小生は自分でウストに行ってみました。これと言った目論見(もくろみ)があった訳ではありません。漠然と、ジゼルに詫(わ)びることができれば、と考えてはいたようです。

ウストで彼女の家のことについて村人の話をきき、クロダの墓の存在を知りました。ジゼルの夫の混血東洋人は養子で、働き者として評判が良いようでした。そして小生は偶然、村の中で、牛乳を出荷している彼女の夫を目撃しました。小生は電撃にうたれたように立ちすくむ他なかったのです……。

そのあと小生は米国から彼女に手紙を書きました。クロダという人間は確かにもう居ない、そのことについてはもう何も心配する必要はない、と。余計な、あらずもがなの手紙だったような気がします。無論、彼女からの返事はありませんでした。小生は、彼らの前に姿を見せる資格などなかったのです。耐え難い寂しさが残りました。そんなとき、パリ会議のプログラムで貴方(あなた)を知り、最後の悪あがきを思いついたのです。

自分にいまできることは、二十数年間、切れたままになっている二人の男の間をつなぐことではないかと、考えたのです。小生の知っているクロダは死んだ。しかし、サエキという人の知っているクロダは、つまり貴方の若き日の思い出の中にいるクロダは生きている。

こんなもって回った言い方をしなければならないのが苦しいのですが、もう分っていただけると思います。クロダは死んだのですが、生きているのです。そのことを、小生は自分がこの世から去る前に、誰かに告げておきたかったのです。

その対象となる人物をやっと見出した思いで、パリに出むき、貴方の講演に耳を傾けました。素晴しい講演でした。第一級の仕事の成果を、しかも開催地であるフランス語を使ってという、感動的な講演を聴きながら、小生は、これがクロダがよく口にした友人だったのだ、と感慨無量でした。それと同時に、クロダの学者としての生命を奪ったのは自分なのだという痛恨が胸をつきあげてきたのです。

サエキ教授、真の科学とは、貴方がたがなされているようなものをさすのです。汚れた科学に脳の髄までつかった小生がこんなことを言うのを、お笑いでしょう。しかし、事実はそうなのです。パストゥール研究所に通っていた頃、小生は青年らしい理想に燃えていました。これからの世の不幸を救うのは科学であると。しかし戦争というものは、その理想を無残に打ち砕いてしまったのです。幸福を追求するはずの科学も、科学者も、戦争のイデオロギーの前には無力でした。ポーランドに残っていた小生の両親はナチの犠牲になりました。小生は妻と子供をつれて合衆国へ逃れました。小生はそこで、イデオロギーに奉仕する科学を選んだのです。資本主義というイデオロギーを守るための科学に身を捧げることにしたのです。そして四十年後、ひとりの息子は、身を捧げることに疲れ果て、自ら死を選びました。それは、父親である小生の生き方に対する無言の批判でもありました。

そして、今残るのは、寂しさのみだ、とだけ申し上げておきましょう。これ以上言えば、説教じみてきますし、身を汚した者の説教ほどきき苦しいものはないからです。

最後に、サエキ教授、どうか小生の願いを聞き入れて欲しいのです。二週間後、貴方の教室に、合衆国に住む匿名(とくめい)の篤志家(とくしか)から、なにがしかの金額の寄贈があるはずです。それを貴方がたの研究に役立てていただきたい。その篤志家とは、最愛の息子をなくし、残された孫や嫁たちにも十二分の遺産を残したあと、一部の金を人の幸せのために役立てたいと願っている老人です。汚れた手で稼いだものかもしれませんが、彼が一生を賭(と)して働き通した果てに得た、汗と涙の結晶であることには間違いがないのです。

余命いくばくもない老人のささやかな望みを、どうか拒絶なさらないで下さい。もしその金が、第二、第三のクロダを出さないために、研究助成金、あるいは奨学制の基金として役立つならば、その老人の意志はかなえられたことになるのです。

お手許(てもと)に残っている小切手は、なんとかしてヴィヴ夫妻にお渡しいただけないでしょうか。大学生のクレール、リセに通うベアトリス、牛好きのガビのために使って欲しいと、悪魔のような老所長が言っていた、と告げていただきたいのです。もはや小生、彼らの前に姿をみせることもないでしょう。そして、サエキ教授、貴方にもお目にかかることはないと思います。

パリに行く前、小生は精密検査を受け、胸腹部大動脈瘤（だいどうみゃくりゅう）の診断を下されました。手術の成功見込みは五分五分ということでした。手術後、血栓が脳に飛ぶか、あるいは再手術になる公算が大だというのです。小生は手術をしないことに決めました。たぶん、半年以内に決着はつくでしょう。そのときまで、腹の中に、いつ破裂するか分らない爆弾をかかえて生きていくのは、いかにも小生に似つかわしい生きざまではないでしょうか。

ラザール・ベルナール

17）野田起一郎：新生児ウィルス性肺炎仙台型について（第3報）. ウィルス3 : 333–335, 1953
18）岡田節人：細胞の社会. 講談社, 東京, 1976
19）岡田善雄：細胞融合と細胞工学. 講談社, 東京, 1976
20）岡田善雄：細胞融合とヒト実験遺伝学の成立. Medico 9 : 3375– 3377, 1978
21）Okada, Yoshio : The fusion of Ehrlich's tumor cells caused by HVJ virus. Biken's Journal 1 : 103–110, 1958
22）Okada, Y., Suzuki, T. and Hosaka, Y. : Interaction between Influenza virus and Ehrlich's tumor cells. Med. J. Osaka Univ. 7 : 709–717, 1957
23）Okada, Y., Yamada, K. and Tadokoro, J. : Effect of antiserum on the cell fusion reaction caused by HVJ. Virology 22 : 397–409, 1964
24）佐野保, 新津岩樹, 中川勲ほか：新生児ウィルス性肺炎（仙台型）（第1報）. ウィルス3 : 314–322, 1953
25）Szasz, Thomas S. : The manufacture of madness. Harper, New York, 1977
26）戸田忠雄, 武谷健二：微生物学実習. 南山堂, 東京, 1974
27）Wade, Nicholas : Hazardous profession faces new uncertainties. Science 182 : 566–567, 1973

参考文献

1）Cooke, R.（牧野賢治訳）: 遺伝子操作. 東京化学同人, 東京, 1978
2）Fukai, K., Okada, Y. and Suzuki, T. : The viral agglutination of Ehrlich's tumor cells in vitro. Med. J. Osaka Univ. 6 : 17–28, 1955
3）Furusawa, M., Nishimura, T., Yamaizumi, M. et al. : Injection of foreign substances into single cells by cell fusion. Nature 249 : 449–450, 1974
4）Ishida, N., Umenai, T., O'Connell, A. et al. : HBAg subtypes in Japan. Lancet sep. 1 : 498–499, 1973
5）Jawetz, E., Melnick, J. L. and Adelberg, E. A. : Review of medical microbiology. Lange-Maruzen, Tokyo, 1974
6）岸田綱太郎 : インターフェロンの生物学. 紀伊國屋書店, 東京, 1978
7）北野政次 : 流行性出血熱に関する研究. 日本伝染病学会雑誌18 : 303–317, 1944
8）黒木哲夫, 金賢一郎, 越智宏暢ほか : Hepatitis B antigen. Med. Postgrad. 13 : 63–70, 1973
9）黒屋政彦, 石田名香雄, 白取剛彦 : 新生児ウィルス性肺炎（仙台型）（第2報）. ウィルス3 : 323–332, 1953
10）松沢誠, 白取剛彦, 伊東祐男ほか : 新生児ウィルス性肺炎（仙台型）について（第4報）. ウィルス3 : 336–343, 1953
11）Mazzur, S., Blumberg, B. S. and Friedlaender, J. S. : Silent maternal transmission of Australia antigen. Nature 247 : 41–43, 1974
12）Mazzur, S., Burgert, S. and Blumberg, B. S. : Geographical distribution of Australia antigen determinants d, y and w. Nature 247 : 38–40, 1974
13）宮川侑三, 真弓忠 : HBs 抗原の subtype. Medicina 12 : 1620–1622, 1975
14）長倉功 : 生命合成への道. 講談社, 東京, 1973
15）Niel, Fernand : Les Cathares de Montségur. Seghers, France, 1976
16）日韓関係を記録する会 : 資料・細菌戦. 晩聲社, 東京, 1976

解説

高見浩

医学をテーマとしたミステリー、いわゆる〝医学ミステリー〟の書き手といえば、アメリカではマイクル・クライトンやロビン・クックの名前があげられよう。クライトンはかつて『緊急の場合は』でMWA（アメリカ推理作家協会）賞を受賞した実力派だし、クックはこのところ『コーマ』、『フィーヴァー』とたてつづけに話題作を発表している俊鋭である。彼ら二人に共通しているのは、ともに医学を専攻した身であり、その該博な医学知識にもとづく題材を巧妙なストーリー・テリングで料理して、面白いミステリーに仕上げている点であろう。

その種の〝知的なエンタテイメント〟のジャンルだけは、近年活況を呈しているわが国のミステリー界も、長らくアメリカの後塵（こうじん）を拝してきた観があった。それだけに、クライトンやクックと同じく医師を本業とする帚木氏が、本書『白い夏の墓標』をひっさげて登場してきた意味は大きいと言うべきだろう。ある優秀な細菌学者の死にまつわる謎解きを糸口に、現代医学の暗黒面を鋭く衝いた本書は、近頃珍しい知的な香気の漂うサスペンスフルな作品に仕上がっているのだから。

特筆すべきは、一種予言的とも言える本書のテーマの今日性である。ミステリーには、そのテーマの陳腐さゆえにしだいに埋もれていく作品と、逆に、そのテーマの深切さゆえにしだいに光彩を増してゆく作品があるとすれば、本書『白い夏の墓標』はまちがいなく後者の典型的な例である。

たとえば、本書がメイン・テーマとしている細菌兵器開発にまつわる問題ひとつとっても、本書が初めて発表された四年前と比べて、今日、その重要性はいちだんと増している。昨年来（一九八二年）、旧関東軍七三一〝細菌〟部隊の実態があらためてマスコミの脚光を浴び、戦争を知らない世代にも大きな衝撃を与えたことは、あらためて指摘するまでもない。また、本書で描かれている遺伝子操作の問題にしても、やはりわれわれにとって、四年前とは比較にならぬほど身近になってきている。アメリカの科学者たちが、遺伝子操作によってとうとう巨大マウスをつくりだすことに成功したというニュースが報じられたのは、つい最近のことである。その新聞記事に添えられた、異様に肥大したマウスの写真を見て、驚きと同時に、現代科学はいったいわれわれ人類をどこに連れていこうとしているのか、という不安を覚えた人間は少くあるまい。

利用の仕方一つで救世主にも悪魔にもなり得る現代科学の両面性——本書が問い直しているのもまさしくその点なのである。

物語は、肝炎ウィルス国際会議に出席すべくパリを訪れた北東大学の教授、佐伯を狂言まわしに、主としてフランス、及びピレネー山中の小国アンドールを舞台に展開されてゆく。

主人公は、仙台型肺炎ウィルス、いわゆる〝センダイ・ヴァイラス〟の研究で、米軍にその能力を買われた若き細菌学徒、黒田武彦である。彼は米軍に請(こ)われてアメリカに留学するのだが、その地でいったい何を研究していたのか？　その結果いかなる運命にまきこまれたのか？　彼の死をめぐる真相とは？

興味津津(しんしん)たるそれらの謎を、作者は佐伯の目を通して一枚、また一枚とはぎとってゆく。その手つきはきわめて洗練されている。場面転換に緻密(ちみつ)な計算がゆき届いているのだ。パリにおける佐伯とベルナール老人とのミステリアスな邂逅(かいこう)、佐伯と黒田の学生時代へのフラッシュバック、次いで舞台はまた現代にもどり、佐伯のウスト行きののちに、こんどは一転して黒田の手記という形で、謎の核心が語られてゆく。歯切れよいテンポを備えた、緊密な構成と言ってよかろう。

見所は、やはり第四章に登場する黒田の手記ではあるまいか。そこでわれわれは、ウィルスに憑かれた一人の男の秘められた生いたちを知ることになる。〝ウィルスは人間よりもきれいだ〟と言い切るまでに至った男の苦闘をかいまみることになる。そこで暴露される細菌兵器開発の実態は、人類に背をむけた〝逆立ちした科学〟の不条理を明瞭に物語っていよう。現代科学の暗い狭間に身を置いた黒田は、日夜煩悶する。

ウィルスもバクテリアも、それ自体は、ニュートラルな興味の対象でしかない。山と同様、究めつくすことに快感がある存在だろう。まっとうな科学も、逆立ちした科学もそれは同じことだ。／それでは研究者を、逆立ちした科学に向う者と、まっとうな科学を目ざす者に振り分けるものは一体何なのか。実は、何もない。未知のものを究めること自体が快楽としてひとり歩きしはじめると、まっとうな科学も、いつのまにか逆立ちしてしまう。／ぼくたちがやっていることは確かに、逆立ちした科学だ。だが、もっと恐しいのは、まっとうだと思いこみ、また人からもそう信じられ、その実、逆立ちしている科学ではないのか。

黒田の抱くに至ったこの認識は、単に細菌学のみならず、電子工学、原子物理学等、現代の最先端をゆくすべての科学に当てはまる真理を内包している。

作者の帚木氏は、一九六九年東大仏文科を卒業、いったんTBSに入社したものの二年後に退社し、九州大学医学部に再入学したというキャリアの主である。現在は精神科医として大学病院に勤務するかたわら創作の筆をとっているわけだが、黒田の直面するもろもろの問題には、氏自身が医学の現場に立って抱いた感慨が反映されているとみてよかろう。岐路に立つ現代科学の危うさが、切実なリアリティーを伴なって黒田の手記から伝わってくるのはそのせいではあるまいか。

物語は後半、黒田の死をめぐる真相に焦点が絞られるにつれて、緊迫の度を増してゆく。アンドールの病院における黒田とジゼル・ヴィヴの出会い、二人の恋、そして決死の脱出行。濁りのない帚木氏の文体がひときわ生彩を放つのは、このへんからだ。帚木氏は元来が純文学畑の出身である。第一作の「頭蓋に立つ旗」（一九七五年）では九州沖縄芸術祭文学賞を受賞、二作目の「虚の連続線」（一九七八年）は新潮新人賞候補に選ばれている。読者に媚びることのない端正な明晰さを氏の文体が備えているのは、あながちそうした出自とも無関係ではあるまい。アンドールの地の美しい風景描写をまじえて、良心に殉じようとする男の闘いが清冽な筆致で物語られるとき、読者の耳には自ずとある鎮魂の哀歌が聞えてくるはずだ。巻末におかれたベルナール老人の書簡は、この作品によって〝読者を楽しませる（エンタテイン）〟方向に一歩足を踏みだした作者の姿勢を、端的に示している。卓抜なエンディングと言えよう。

　時代と切りむすぶ尖鋭（せんえい）なテーマ、それを生かす緊密なプロットと清冽な文体――本書を特徴づけているこの三つの要素は、帚木氏が本書につづいて発表した『十二年目の映像』（一九八一年、新潮社刊）にも濃厚に受けつがれている。それは帚木氏の資質と密接に結びついた特色のようだ。しかも、先述したキャリアが示しているように、氏は文学と科学双方の領域に目配りをきかせ得る立場にあるし、その能力をも備えている。ちなみに氏はあるところで、〝本職の精神科医としては、これから狂気のメカニズムを解明していきたい〟と語っている。それは〝逆立ちした科学〟の病根を文学の領域で抉剔（けってき）していく姿勢にもつながるはずだ。今後とも、現代科学の赴く先を直視することが文学にとっても重要な課題になり得る趨勢（すうせい）を考えれば、帚木氏の存在は貴重と言わなければならない。

　ともあれ、欧米の優れたミステリーのように、プラス・アルファの面白さを備えた知的なエンタテイメント・ノヴェルのジャンルが日本でも確立される可能性を、本書は身をもって示していると言っていいのではあるまいか。

（一九八三年一月、翻訳家）

この作品は昭和五十四年四月新潮社より刊行された。

帚木蓬生著

三たびの海峡

吉川英治文学新人賞受賞

三たびに亙って"海峡"を越えた男の生涯と、日韓近代史の深部に埋もれていた悲劇を誠実に重ねて描く。山本賞作家の長編小説。

帚木蓬生著

閉鎖病棟

山本周五郎賞受賞

精神科病棟で発生した殺人事件。隠されたその動機とは。優しさに溢れた感動の結末――。現役精神科医が描く、病院内部の人間模様。

帚木蓬生著

逃亡（上・下）

柴田錬三郎賞受賞

戦争中は憲兵として国に尽くし、敗戦後は戦犯として国に追われる。彼の戦争は終わっていなかった――。「国家と個人」を問う意欲作。

帚木蓬生著

国銅（上・下）

大仏の造営のために命をかけた男たち。歴史に名は残さず、しかし懸命に生きた人びとを、熱き想いで刻みつけた、天平ロマン。

帚木蓬生著

悲素（上・下）

本物の医学の力で犯罪をあぶりだす。九大医学部の専門医たちが暴いた戦慄の闇。小説でしか描けない和歌山毒カレー事件の真相。

帚木蓬生著

守教（上・下）

吉川英治文学賞・中山義秀文学賞受賞

人間には命より大切なものがあるとです――。農民たちの視線で、崇高な史実を描き切る。信仰とは、救いとは。涙こみあげる歴史巨編。

新潮文庫最新刊

山田詠美著
血も涙もある
35歳の桃子は、当代随一の料理研究家・喜久江の助手であり、彼女の夫・太郎の恋人である——。危険な関係を描く極上の詠美文学！

帚木蓬生著
沙林 偽りの王国（上・下）
医師であり作家である著者にしか書けないサリン事件の全貌！ 医師たちはいかにテロと闘ったのか。鎮魂を胸に書き上げた大作。

津村記久子著
サキの忘れ物
病院併設の喫茶店で、常連の女性が置き忘れた本を手にしたアルバイトの千春。その日から人生が動き始め……。心に染み入る九編。

彩瀬まる著
草原のサーカス
データ捏造に加担した製薬会社勤務の姉、仕事仲間に激しく依存するアクセサリー作家の妹。世間を揺るがした姉妹の、転落後の人生。

西村京太郎著
鳴門の渦潮を見ていた女
渦潮の観望施設「渦の道」で、元刑事の娘が誘拐された。解放の条件は警視総監の射殺！ 十津川警部が権力の闇に挑む長編ミステリー。

町田そのこ著
コンビニ兄弟3
—テンダネス門司港こがね村店—
〝推し〟の悩み、大人の友達の作り方、忘れられない痛い恋。門司港を舞台に大人たちの物語が幕を上げる。人気シリーズ第三弾。

白い夏の墓標

新潮文庫　は－7－1

昭和五十八年一月二十五日　発行
平成二十二年十月二十五日　十九刷改版
令和五年八月三十日　二十六刷

著者　帚木蓬生（ははきぎほうせい）

発行者　佐藤隆信
発行所　株式会社新潮社
郵便番号　一六二—八七一一
東京都新宿区矢来町七一
電話　編集部(〇三)三二六六—五四四〇
　　　読者係(〇三)三二六六—五一一一
https://www.shinchosha.co.jp
価格はカバーに表示してあります。
乱丁・落丁本は、ご面倒ですが小社読者係宛ご送付ください。送料小社負担にてお取替えいたします。

印刷・錦明印刷株式会社　製本・錦明印刷株式会社

ISBN978-4-10-128801-7 C0193